McDougal Littell

¡En español!

ACTIVIDADES PARA TODOS

McDougal Littell
A HOUGHTON MIFFLIN COMPANY
Evanston, Illinois • Boston • Dallas

Credits

30   From *Quo* magazine (Madrid, Spain), No. 45, June 1999

41   Copyright 1999 by The Associated Press. All rights reserved.

140   From ¡EXPLORA TEXAS! in NOSOTROS EL PUEBLO by Hartoonian, et al. Copyright © 1997 by Houghton Mifflin Company. Reprinted by permission of Houghton Mifflin Company. All rights reserved.

149   Courtesy of wunderground.com

191   *Condorito* used with permission of World Editors and Cambridge Consulting Corporation, Licensing Agent

Actividades para todos

ISBN-13: 978-0-618-33472-8   ISBN-10: 0-618-33472-6

   9 - MDO - 09 08 07

McDougal Littell

Actividades para todos

TABLE OF CONTENTS

¡En español! Level 2

TO THE STUDENT

Actividades para todos provides activities for practice at different levels of difficulty. Leveled vocabulary, grammar, and reading activities cover the material taught in every *etapa*. Within each category of practice there are three pages, each at a different level of difficulty (A, B, and C). The A level is the easiest and C is the most challenging.

All of the objectives for the *etapa* are practiced within each level of difficulty. In other words, if you complete the A level activities for *Vocabulario*, *Gramática*, and *Lectura*, you will have covered all of the objectives taught in that *etapa*. The same is true for the B and C levels.

The following sections are included in *Actividades para todos* for each *etapa*:

- *Vocabulario* A, B, C
- *Gramática* A, B, C
- *Lectura* A, B, C
- *Rompecabezas*

Something for Everyone

Vocabulario Each page in this section has three activities that practice the *etapa* vocabulary. The different levels of difficulty (A, B, and C) are distinguished by the amount of support you're given. (A level activities usually give you choices, B level activities often call for short answers to be written, and C level activities require longer answers.)

Gramática This section follows the same pattern as the *Vocabulario* section and reinforces the grammar points taught in each *etapa*.

Lectura Each page in this section consists of a reading accompanied by *¿Comprendiste?* and *¿Qué piensas?* questions. Both the reading and the follow-up questions become more challenging as the level of difficulty increases. The readings provide opportunities to experience language in a real-world context.

Rompecabezas Activities in the form of word finds, word jumbles, and crossword puzzles appear at the end of each *etapa*.

To the
Student

Actividades para todos

McDougal Littell

¡En español!

ACTIVIDADES PARA TODOS

¡A DESCRIBIR!

 1 El primer día del año escolar

Subraya las palabras para completar el diálogo de acuerdo con lo que ves en el dibujo.
(Hint: Underline the words that best complete the dialog.)

—(Buenos días / Buenas noches), Patricio. ¿Cómo estás?

—Hola, (don / doña) Gabriela. Estoy (encantado / regular).
    Hoy es el primer día de clases de Pedro.

—¿A Pedro le gusta ir a la escuela?

—No, no le (molesta / gusta) mucho. Él es un poco tímido.

—(Hola / Gracias), Pedro. Te deseo mucha suerte hoy.

 2 Los gustos

Usa las pistas para describir los gustos de las siguientes personas. *(Hint: What do they like?)*

   modelo: Martha / tango, salsa, merengue   <u>A Martha le gusta bailar.</u>

1. Jorge / cartas, tarjetas, correo electrónico   A Jorge le gusta _____.

2. Jane / hamburguesas, pastel, helado   A Jane le gusta _____.

3. Patricia / Gloria Estefan, Carlos Santana,   A Patricia le gusta _____.
    la radio

4. Federico / libros, periódicos, revistas   A Federico le gusta _____.

 3 ¡Listo!

Completa las oraciones usando la forma correcta de **tener, ser** o **estar**. *(Hint: Complete the sentences.)*

   Ya casi _____ listo para el año escolar, pero todavía _____

que hacer dos o tres cosas. Necesito dormir más que durante los días de verano para

_____ alerta. Tengo que _____ un buen estudiante este año.

Finalmente, como _____ aventurero, necesito estudiar más para mi clase de

español para poder viajar a México.

Etapa preliminar
Actividades para todos
¡A DESCRIBIR!

¡A DESCRIBIR! B

ACTIVIDAD 1 **Marta y Andrés asisten a la escuela**

Marta y Andrés asisten a su primer día de clases. Ayúdalos a completar su diálogo con las siguientes palabras: **son, cuál, me gustan, me gusta, tienes, es.** *(Hint: Complete the sentences.)*

Andrés: Hola, Marta. ¿Qué clase _____ primero?

Marta: Voy a biología. _____ mucho las ciencias naturales.

Andrés: A mí _____ estudiar a las personas; por eso tomo una clase de estudios sociales. ¿_____ de tus clases te interesa más?

Marta: Creo que la que más me gusta _____ la nueva clase de computación. El maestro sabe mucho de computadoras.

Andrés: Bueno, Marta. Me voy. ¡_____ las ocho y cuarto! ¡Hasta luego!

Marta: ¡Chao!

ACTIVIDAD 2 **La chica de Nueva York**

Completa el siguiente párrafo con las formas correctas de **ser** o **estar**. *(Hint: Complete the paragraph with the correct forms of **ser** or **estar**.)*

Mi familia _____ de la ciudad de Nueva York. Muchas personas

piensan que las personas de allá no _____ contentas, pero no

_____ verdad. Ahora yo _____ en San Francisco de

vacaciones. Veo a personas que _____ alegres y otras que están tristes.

No se debe generalizar.

ACTIVIDAD 3 **¿Qué frases usas?**

Piensa en las siguientes situaciones y luego escribe lo que dirías en cada caso. *(Hint: Write what you might say in each situation.)*

¿Qué dices cuando…

modelo: quieres saber el nombre de alguien? ¿Cómo se llama usted?

1. quieres saludar a un maestro por la mañana? _____

2. quieres presentarle un amigo a otro amigo? _____

¡A DESCRIBIR! C

1 Me gustan las clases

A cada uno de tus amigos le gusta una materia diferente. Subraya la forma correcta de **gustar** para completar las siguientes oraciones. *(Hint: Underline the correct form of gustar.)*

1. A Nicolás le (gustan / gusta) las ciencias políticas.

2. A Sara y a Abraham les (gustan / gusta) la química.

3. Nos (gustan / gusta) mucho la computación.

4. A Pilar le (gusta / gustan) estudiar francés.

5. Te (gustan / gusta) los estudios sociales.

2 La nueva maestra

Usa **tiene, es** o **está** para completar lo que Berta dice sobre su nueva profesora de francés. *(Hint: Use tiene, es, or está to complete the sentences.)*

La nueva maestra _____ pelo castaño y largo. Ella _____

alta y hoy _____ una falda larga. ¡Qué triste _____ ella! ¿Por

qué no _____ contenta? No lo sé… ¡Pues vamos a ver!

3 ¿Cómo es...?

Piensa en una persona que conoces y descríbela con las siguientes frases. *(Hint: Describe someone you know.)*

> está feliz / triste   es guapo(a)   tiene pelo corto / largo
> es alto(a) / bajo(a)   está nervioso(a) / está tranquilo(a)
> tiene una camisa verde / roja / blanca (otros colores)

_____

_____

_____

_____

Etapa preliminar
Actividades para todos
¡A DESCRIBIR! C

¡A PREGUNTAR!

ACTIVIDAD 1 Lo que vamos a hacer

Marta y Julia quieren hacer varias actividades el sábado. Escribe (en palabras) las horas que mencionan con las expresiones **y cuarto, y media, menos cuarto.** *(Hint: Write out the time.)*

—Julia, quiero caminar con el perro en el parque a las _____ (10:45).

—Me parece bien, Marta, y después, a las _____ (12:15), almorzamos en mi casa.

—Vamos al cine a las _____ (5:30), pero antes vamos a estudiar juntas para el examen de biología del lunes. Podemos ir a la biblioteca a las _____ (2:30).

ACTIVIDAD 2 ¿A qué hora?

Luis y Marcos hablan sobre el fin de semana. Completa la conversación con **a qué hora, a la, a las, menos** o **media.** *(Hint: Complete the conversation.)*

— ¿_____ tienes el partido de voleibol, Marcos?

— _____ tres _____ cuarto de la tarde. ¿Vienes a vernos?

— Sí. Tengo mi clase de piano _____ una y _____, pero puedo ir después.

— Muy bien, Luis. ¿Vas a la fiesta en casa de Cristina? Es el sábado _____ nueve.

—¡Claro que sí!

ACTIVIDAD 3 ¿Quién es tu profesor?

Escribe una lista de las preguntas que vas a hacer en la primera semana de clases, usa cuatro de las siguientes palabras interrogativas. *(Hint: Write a list of questions.)*

   modelo: ¿Quiénes son mis compañeros de clase?

¿Cómo? ¿Cuál? ¿Cuánto(s)? ¿Quién(es)? ¿Dónde? ¿Qué?

_____

_____

_____

¡A PREGUNTAR! B

ACTIVIDAD 1 Información

Lee las frases y luego escribe las preguntas correspondientes. *(Hint: Fill in the missing questions.)*

1. ¿_____? Muy bien, gracias.

2. ¿_____? Mi dirección es Calle Milagros 118.

3. ¿_____? Son las tres y media.

4. ¿_____? Tengo dieciséis años.

ACTIVIDAD 2 La hora y la actividad

Mira los siguientes dibujos y escribe las horas que muestran. Luego, escribe el tipo de actividad que la persona quiere hacer. *(Hint: Write the time, then the activity shown.)*

1.  2.  3.  4.

1. Son _____ .   Luz prefiere _____ .

2. Son _____ .   Julio quiere _____ .

3. Es _____ .   Ellos quieren _____ .

4. Son _____ .   Inés quiere _____ .

ACTIVIDAD 3 Tus preferencias

Escribe la hora y los días en que prefieres hacer tus actividades, después de la escuela. *(Hint: Write when you prefer to do certain activities.)*

    modelo: <u>Prefiero nadar a las cuatro de la tarde los martes y los jueves.</u>

1. _____

2. _____

3. _____

4. _____

Etapa preliminar
Actividades para todos
¡A PREGUNTAR!
Actividades para todos
B

¡A PREGUNTAR!

ACTIVIDAD 1 ¿Cuándo comemos?

Lisa y Natalia quieren comer pasteles con sus amigas. Completa las preguntas con palabras interrogativas. *(Hint: Complete the questions.)*

—¿_____ vamos para comer bien?

—¿_____ es la nueva pastelería? ¿Buena?

—¿_____ está? ¿Queda cerca?

—¿_____ vamos? Espero que pronto.

ACTIVIDAD 2 ¿A qué hora?

Escribe qué haces en las siguientes horas. *(Hint: Write about your activities.)*

modelo: 7:00 <u>Yo me levanto a las siete de la mañana.</u>

1. 9:00 _____

2. 12:30 _____

3. 6:00 _____

4. 10:30 _____

ACTIVIDAD 3 Buenas noches, doña Sabrina

Llamas por teléfono a doña Sabrina, la mamá de tu amiga Gloria, para decirle que Gloria va a llegar pronto a casa. Escribe un diálogo corto con base en los dibujos. *(Hint: Write a dialog based on the pictures.)*

_____
_____
_____

EN LA ESCUELA A

ACTIVIDAD 1 ¿Cómo van a la escuela?

Completa el párrafo con la forma y el verbo correctos. *(Hint: Complete the paragraph.)*

Diez de nosotros _____ (abrir / vivir) cerca de la escuela y _____

(caminar / vender) hasta aquí en la mañana. Los otros estudiantes _____ (ver

/ ir) a la escuela en autobús, menos David. David _____ (ir / oír) con

su hermana mayor en el carro. Yo, la maestra, _____ (aprender / correr)

a la escuela de vez en cuando. Mis estudiantes me dicen: «Usted _____

(hacer / ser) atlética, señora Varela».

ACTIVIDAD 2 ¿Con qué frecuencia?

Escribe la frecuencia con que haces las siguientes actividades: **bailar, cantar, escuchar música, patinar**. Sigue el modelo. *(Hint: Write how often you do things.)*

modelo: nunca: <u>Yo nunca patino los fines de semana.</u>

1. rara vez: _____

2. siempre: _____

3. nunca: _____

4. mucho: _____

ACTIVIDAD 3 Una chica estudiosa

Carmen es una estudiante muy activa y organizada. Explica lo que hace en la semana. *(Hint: Write what Carmen does.)*

modelo: <u>Carmen va a la escuela de lunes a viernes…</u>

_____

_____

_____

_____

EN LA ESCUELA

....

ACTIVIDAD 1 Mis hermanos

Helena es nueva en la escuela y les habla a sus amigas sobre su familia. Completa el párrafo con la forma correcta de **tocar, leer, compartir** o **ir**. *(Hint: Complete the paragraph.)*

    Hola, soy Helena. Tengo dos hermanos, Sergio y Milagros. Sergio

_____ a la universidad, y _____ libros de música.

Milagros y yo _____ su interés por la música. Yo

_____ la flauta y él _____ la guitarra.

¿_____ juntas a un concierto algún día?

ACTIVIDAD 2 ¿Qué hacen en la escuela?

Usa los verbos indicados para escribir algo sobre cada persona. Sigue el modelo. *(Hint: Use the verbs to write about each person.)*

    modelo: Rogelia / estudiar <u>Rogelia estudia biología.</u>

1. Juliana y yo / leer _____

2. ustedes / abrir _____

3. nosotros / escribir _____

4. yo / ir _____

ACTIVIDAD 3 La nueva escuela

Los papás de Viviana y Víctor están muy contentos porque sus hijos estudian en una buena escuela. Describe las actividades de Viviana y Víctor en la escuela. *(Hint: Describe the activities of Viviana and Víctor.)*

    modelo: <u>Viviana y Víctor van a la escuela a las ocho de la mañana...</u>

_____

_____

_____

_____

Actividades para todos
EN LA ESCUELA

Etapa preliminar

8 **Etapa preliminar**
Actividades para todos
EN LA ESCUELA B

¡En español! **Level 2**

EN LA ESCUELA C

ACTIVIDAD 1 Lo que hacemos

Escribe el verbo correcto para completar las oraciones. *(Hint: Complete the sentences.)*

1. Juan y Rodrigo _____ matemáticas de lunes a viernes.

2. Nosotros _____ a bailar todos los sábados.

3. En mi casa siempre _____ comida china los domingos.

4. De vez en cuando, yo le _____ a mi amigo Carlos en Londres.

ACTIVIDAD 2 ¿Adónde van?

Lee las actividades que los estudiantes prefieren y escribe adónde van. *(Hint: Write where the students are going.)*

modelo: **Yo:** Me gusta leer novelas.
Tú: Tú vas a la biblioteca.

Annette: A mí me gustan las ciencias naturales.

Ella: _____.

Eva y Justin: Les gusta pasar horas en la computadora.

Ellos: _____.

Lorena: Me gusta pasar horas jugando al voleibol.

Ella: _____.

Nosotros: Nos gusta comer.

Ustedes: _____.

ACTIVIDAD 3 ¿Adónde vamos y qué hacemos?

Escribe un párrafo corto. Cuenta adónde vas con tus amigos y qué hacen. *(Hint: Write where you go with your friends and what you like to do there.)*

Nosotros vamos a la pastelería y comemos pasteles. También vamos de compras. Compramos libros, CD's y ropa.

_____

_____

_____

Etapa preliminar

Actividades para todos
EN LA ESCUELA

C

¿QUÉ HACES?

 1 ¿Qué hace la familia?

Subraya el verbo correcto para completar las oraciones. *(Hint: Underline the correct verb.)*

1. Mi hermano Luis (almuerza / duerme) por la noche.

2. Mis primos (prefieren / piensan) ir a la playa más que a las montañas.

3. Mi tío Sandro (recuerda / recuerdan) todas las historias que su esposa le cuenta.

4. Tú siempre te (quieres / encuentras) a todos tus primos en la casa de tu abuela.

2 ¿Eres una persona responsable?

Contesta las siguientes preguntas personales. *(Hint: Answer the questions.)*

1. ¿Sales temprano por la mañana? _____

2. ¿Te pones una chaqueta todos los días en el invierno? _____

3. ¿Traes los libros a clase todos los días? _____

4. ¿Ves bien el pizarrón en clase? _____

5. ¿Siempre sabes qué hacer para la tarea? _____

3 ¿Qué hacen?

Escribe oraciones sobre lo que hace tu familia. *(Hint: Write sentences.)*

modelo: (volver) <u>Mi mamá vuelve del trabajo a las 5:30.</u>

1. (almorzar) _____

2. (poder) _____

3. (hacer) _____

4. (saber) _____

5. (querer) _____

Etapa preliminar

Actividades para todos ¿QUÉ HACES?

A

¿QUÉ HACES?

....

 1 El pastel

Completa el párrafo con la forma correcta de los siguientes verbos. *(Hint: Complete the sentences.)*

> salir   dar   traer   saber   poner

Yo _____ que a mis tíos les gusta mucho el pastel de fresa. Cuando

ellos vienen a visitarme, _____ a saludarlos a la puerta. Yo siempre

les _____ un beso. Luego _____ unos platos de

la cocina, _____ el pastel en la mesa y nos lo comemos.

2 Descripciones

Describe lo que hace cada persona. Usa el verbo indicado. *(Hint: Describe what the people do.)*

1. yo (pensar) _____

2. el maestro (almorzar) _____

3. los estudiantes (entender) _____

3 ¿Qué hago en la semana?

Escoge un día de la semana y escribe lo que haces normalmente. Usa los verbos de la lista. *(Hint: Write about your weekly routine.)*

> **modelo:** Los martes prefiero almorzar temprano…

> volver   preferir   encontrar   costar   querer

_____

_____

_____

_____

¿QUÉ HACES?

1 Un día ideal

Escribe sobre lo que hacen estas personas en su día ideal. Sigue el modelo. *(Hint: Create sentences.)*

> **modelo:** papá / preferir / familia   <u>Mi papá prefiere pasar el día con la familia.</u>

1. tía / almorzar / restaurante _____

2. amigos / dormir / tarde _____

3. mamá / llevar / costar mil dólares _____

4. yo / hacer / ¿? _____

2 El primer día

Contesta las siguientes preguntas sobre tu primer día de clases. Usa el tiempo presente. *(Hint: Use the present tense to answer the questions.)*

1. ¿Qué traes a la escuela el primer día de clases? _____

2. ¿Sales de la casa a las siete? _____

3. ¿Cuál es la primera cosa que haces al llegar a la escuela? _____

_____

4. ¿Qué pones en tu mochila el primer día de clases? _____

_____

3 ¿Qué vas a hacer después de las tres?

Describe lo que vas a hacer después de clases, entre las 3:00 y las 9:00. Escribe cuatro oraciones con verbos de esta etapa. *(Hint: Write about your after-school plans.)*

1. _____

2. _____

3. _____

4. _____

Etapa preliminar · Actividades para todos · ¿QUÉ HACES? · C

VOCABULARIO **A**

 Marta necesita tu ayuda

Marta está en el aeropuerto y necesita tu ayuda. Subraya la palabra para completar la oración. *(Hint: Underline the word that best completes each sentence.)*

1. En el aeropuerto, muestra el (letrero/boleto) al agente.

2. El agente te va a preguntar si quieres un (piloto/asiento) de ventanilla.

3. Los (letreros/viajes) te ayudan a encontrar dónde abordar el avión.

4. Vas a esperar la salida de tu vuelo con otros (pasaportes/pasajeros).

 Pasatiempos

Resuelve las adivinanzas con las siguientes palabras y frases. *(Hint: Solve the riddles.)*

> la canoa   cantar en el coro
> las montañas
> tomar un curso de natación

1. Tienes que hacerlo si quieres aprender a nadar. _____

2. Es un buen lugar para acampar. _____

3. Las personas lo hacen para producir música. Los instrumentos no son necesarios.

_____

4. La usas para bajar el río. _____

 **¿Quién me ayuda cuando viajo?**

Haz una lista de las personas que encuentras cuando viajas en avión. *(Hint: List the people you meet when you travel by plane.)*

modelo: un piloto

_____

_____

_____

_____

¡En español! Level 2

VOCABULARIO B

ACTIVIDAD 1 Marta Medina, Marta Medina

Mientras espera su avión, Marta oye un llamado con su nombre en el aeropuerto. Usa las palabras **mostrador, identificación, maleta** y **exceso de equipaje** para completar el mensaje. (*Hint: Complete the message.*)

Marta Medina, Marta Medina, regrese al **1.** _____ de la aerolínea.

Usted tomó la **2.** _____ de otro pasajero. Presente su **3.** _____

para obtener sus propias maletas. Una cosa más: Usted tiene un **4.** _____.

ACTIVIDAD 2 ¿Qué van a hacer?

Usa las siguientes frases para describir algunas actividades que tus familiares van a hacer este verano. (*Hint: Write about what your relatives are going to do.*)

disfrutar con los amigos   acampar en las montañas

estudiar artes marciales   ir de viaje

1. Toda la familia _____.

2. Mis hermanas y yo _____.

3. Mi mamá _____.

4. Yo _____.

ACTIVIDAD 3 El viaje desastroso

Luis tuvo un viaje difícil. Ayúdalo a completar las siguientes oraciones. (*Hint: Complete the sentences.*)

modelo: Antes de salir para el aeropuerto, <u>perdí mi boleto.</u>

1. Cuando llegué al aeropuerto, _____.

2. La agente de viajes _____.

3. Después de la salida del avión, _____.

4. El auxiliar de vuelo _____.

VOCABULARIO C

ACTIVIDAD 1 El viaje

Completa las oraciones con una de las palabras que aprendiste en esta etapa.
(Hint: Complete the sentences.)

1. La persona que va de viaje es el _____.

2. Para abordar el avión, necesitas mostrar tu _____.

3. Si necesitas ayuda durante el _____, puedes hablar

con el (la) _____.

4. Si quieres, puedes pedir un _____ de ventanilla.

ACTIVIDAD 2 ¿Cuál es el pasatiempo?

Describe las actividades que hace esta gente. Basa tus respuestas en los dibujos.
(Hint: Describe what the people are doing.)

1.  **2.**  **3.**

1. _____

2. _____

3. _____

ACTIVIDAD 3 Por avión

Tu amiga italiana viene a visitarte a California. Dale información para prepararla para
su viaje. *(Hint: Tell your friend what to expect on her trip.)*

modelo: En el aeropuerto tienes que mostrar tu pasaporte para abordar el avión.

_____

_____

_____

_____

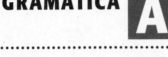

GRAMÁTICA **A**

ACTIVIDAD 1 ¿Qué hicimos?

Ayer tú y tus amigos(as) tuvieron el día libre. Subraya la palabra correcta para describir lo que hicieron. *(Hint: Underline the correct word.)*

1. Susana (practicó/practicaste) el piano.

2. Pablo y Lucy (jugué/jugaron) al ajedrez.

3. Yo (almorzó/almorcé) en un restaurante.

4. Mi abuela y yo (empezamos/empezaron) un rompecabezas.

ACTIVIDAD 2 Una carta para mamá

Usa las siguientes palabras para completar la carta que Marta le escribió desde Argentina a su mamá en California: **vi, fueron, fuimos, dio, hice.** *(Hint: Complete the letter.)*

¡Hola, mamá! ¿Cómo te va? Ayer, papá y yo _____ a Mar del Plata en avión. Yo _____ unas playas muy bonitas. Papá me _____ dinero para comprar unas tarjetas postales. También yo _____ un dibujo de esas escenas increíbles. Unos pasajeros del avión _____ a acampar pero nosotros regresamos a Buenos Aires.
Un abrazo,
Marta

ACTIVIDAD 3 ¿Qué hiciste ayer?

Escribe oraciones en el pretérito de los siguientes verbos para decir lo que hiciste ayer. *(Hint: Write sentences with preterite of these verbs.)*

   modelo: (tocar) <u>Ayer toqué el piano.</u>

1. (comer) _____

2. (llegar) _____

3. (ir) _____

4. (ver) _____

GRAMÁTICA B

ACTIVIDAD 1 ¿Quién lo hizo en el pasado?

Escribe quién hizo las siguientes actividades. *(Hint: What did they do?)*

> **modelo:** mi mejor amigo /vivir en Arizona   <u>Mi mejor amigo vivió en Arizona.</u>

1. mi hermanito / ir al cine _____

2. yo / jugar al fútbol _____

3. los profesores / comer comida italiana _____

_____

4. el señor Gonzáles / dar una clase de español _____

_____

ACTIVIDAD 2 ¿Qué pasó?

Cristina quiere decirte lo que hicieron ella y su familia. Ayúdala a terminar sus descripciones con los dibujos y los verbos **llegar, bajar** y **almorzar.** *(Hint: Complete the sentences.)*

1.    **2.**    **3.**

1. Ayer, mi abuela _____ .

2. Por la tarde, mi hermano Nicolás _____ .

3. El mes pasado, yo _____ un río en canoa.

ACTIVIDAD 3 Actividades

Escribe oraciones en el pretérito. *(Hint: Write sentences with the preterite.)*

> **modelo:** <u>Ayer jugué al ajedrez con mi hermano.</u>

_____

_____

_____

GRAMÁTICA C

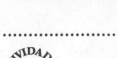

ACTIVIDAD 1 ¿Qué hicieron?

Contesta las preguntas para describir lo que hicieron las personas. Usa el pretérito.
(Hint: Tell what people did.)

1. ¿Quién ? _____

2. ¿Quién ? _____

3. ¿Quién ? _____

ACTIVIDAD 2 La semana pasada

Responde a las siguientes preguntas sobre lo que tú, tus padres y tus amigos(as) hicieron la semana pasada. Usa el vocabulario de esta etapa. *(Hint: Tell what people did last week.)*

1. ¿Qué hiciste? _____

2. ¿Qué hicieron tus padres? _____

3. ¿Qué hizo tu amigo(a)? _____

4. ¿Qué hicieron otra persona y tú? _____

ACTIVIDAD 3 Un viaje divertido

Escribe unas oraciones sobre algunas actividades que te gustaron de tu último viaje. Usa el pretérito. *(Hint: Tell what you did on your last trip.)*

_____

_____

_____

LECTURA A

Vuele con nosotros

¿Le gustaría viajar con la mejor aerolínea del mundo? Le invito a abordar Aerocaribe, para un vuelo que no va a olvidar nunca.

Tenemos los mejores pilotos, los asientos más cómodos y espacio para todo su equipaje. Si quiere usted ver una película, ¡la tenemos!

Pase un rato con nosotros, sus amigos del cielo, y viaje a destinos exóticos por todo el Caribe. Abordar Aerocaribe no es simplemente comprar un boleto e ir de viaje, ¡es su pasaporte a una experiencia fenomenal!

Aerocaribe

¿Comprendiste?

1. Escribe dos cosas que dice la auxiliar de vuelo que son las mejores en Aerocaribe.

_____

2. ¿Qué más ofrece Aerocaribe? _____

3. ¿Adónde viaja Aerocaribe? _____

4. Aerocaribe dice que vende algo más que un vuelo de avión. ¿Qué es? _____

_____

¿Qué piensas?

1. En tu opinión, ¿cuál es un destino fenomenal? _____

_____

2. Cuando abordas el avión, ¿qué es importante para ti? _____

_____

3. ¿Te gustaría ser piloto o auxiliar de vuelo algún día? ¿Por qué?

_____

Nombre _____   Clase _____   Fecha _____

LECTURA

El diario de Jorge

Jorge describe lo que hizo la semana pasada en sus vacaciones. Lee su diario y contesta las preguntas. *(Hint: Read Jorge's diary and answer the questions.)*

---

30 de noviembre

La semana pasada toqué mi guitarra por una hora cada día de la semana. ¡Estoy mejorando! El martes, mi mamá me dio dinero para ir al supermercado a comprarle una revista. Se me olvidó comprarla. ¡Qué lástima! Tuve que regresar por la tarde. Encontré a mi amigo Roberto en el supermercado. Fuimos a la heladería para tomar un helado después de comprar la revista. Llegué tarde a casa. ¡Me encantan los días de vacaciones!

¿Comprendiste?

1. ¿Qué hizo Jorge mucho la semana pasada? _____

_____

2. ¿Adónde fueron Jorge y Roberto? _____

_____

3. ¿Qué compró Jorge para su mamá? _____

_____

¿Qué piensas?

1. ¿Qué te gustaría hacer durante tus próximas vacaciones? _____

_____

2. ¿Qué actividad o pasatiempo no te gusta hacer nunca? _____

_____

3. ¿Qué actividad te gustaría hacer, que rara vez tienes la oportunidad de hacer

ahora? _____

LECTURA C

....

Una entrevista con Amelia Corazón, magnífica piloto

Entrevistador: ¿Cuándo fue la primera vez que pensó en ser piloto, Amelia?

Amelia: Bueno, un día fui con mi papá a un restaurante cerca de un aeropuerto. Yo lo recuerdo bien: almorzamos, y cuando fuimos a pagar, escuché un sonido tremendo. Miré por la ventana y vi un avión pasando tan cerca que vimos a unos pasajeros. En ese momento, decidí que me gustaría volar.

Entrevistador: ¿De verdad? ¿Decidió ser piloto?

Amelia: Sí, decidí pilotear aviones. Afortunadamente, mis padres me dieron la oportunidad de tomar clases de aviación.

Entrevistador: Y por eso, todos la conocen como la mejor piloto de Estados Unidos.

¿Comprendiste?

1. ¿Por qué miró Amelia por la ventana? _____
   _____

2. ¿Cómo sabemos que el avión pasó muy cerca del restaurante? _____
   _____

3. ¿Qué tipo de clases tomó Amelia? _____
   _____

4. ¿De dónde es Amelia? _____

¿Qué piensas?

1. ¿Piensas que te gustaría pilotear un avión? ¿Por qué sí o por qué no?_____
   _____

2. ¿Fue una buena idea que los padres de Amelia le permitieran tomar clases de
   aviación? ¿Por qué sí o por qué no? _____
   _____

¡Busca los verbos!

Encuentra el pretérito de los verbos y márcalo con un círculo. No olvides buscar en dirección horizontal, vertical y diagonal. *(Hint: Circle the indicated preterite form of each verb.)*

1. almorzar (yo)
2. jugar (ellos)
3. abordar (usted)
4. ver (tú)
5. vivir (nosotros)

6. llegar (yo)
7. ser (ellos)
8. tocar (yo)
9. dar (ella)
10. cantar (yo)

```
O  R  R  E  Z  A  E  P  M  E  P
L  J  L  I  O  A  N  D  N  V  E
T  G  U  T  A  L  O  R  O  U  S
T  F  F  G  L  M  P  U  R  D  T
O  Ó  D  E  A  O  I  S  E  S  A
Q  G  G  T  B  R  H  É  U  R  M
U  U  E  R  O  C  O  T  F  L  L
É  T  E  N  R  É  A  N  A  T  S
S  I  T  E  D  L  A  A  B  O  D
A  P  S  S  Ó  L  É  C  O  S  E
D  O  I  D  S  A  L  E  R  Í  A
O  A  V  I  V  I  M  O  S  T  C
R  C  É  O  N  A  C  O  M  I  U
G  R  U  F  F  U  D  F  E  Ó  E
```

VOCABULARIO

A

ACTIVIDAD 1 ¿Cierto o falso?

¿Estás de acuerdo con el tío Luis? Si lo que dice es cierto, marca la **C**. Si es falso, marca la **F**. *(Hint: Mark C for true and F for false.)*

C   F   **1.** Muchos museos muestran arte tradicional.

C   F   **2.** Un retrato es una escultura.

C   F   **3.** Todos los retratos son enormes.

C   F   **4.** Hay muchas obras de arte en Chicago.

ACTIVIDAD 2 ¿Qué come Julia?

A Julia le gusta comer siempre lo mismo. Usa las siguientes palabras para ayudarla a describir lo que come todos los días. *(Hint: What does Julia eat?)*

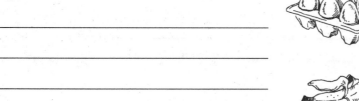

atún   pollo asado   jugo   leche

1. En la mañana, como cereal con _____ .

2. Con mi cereal, siempre tomo _____ de fruta.

3. Para mi almuerzo, me gustan los sándwiches de _____ .

4. Me gusta comer _____ en la cena.

ACTIVIDAD 3 Especialidades de la casa

Imagínate que eres el (la) dueño(a) de un restaurante. Inventa un menú con las especialidades de la casa usando los siguientes dibujos para obtener ideas. *(Hint: Create a menu.)*

Especialidades de la casa:

_____

_____

_____

_____

VOCABULARIO

 El sabroso almuerzo en Chicago

Ana comió con su prima en un restaurante de Chicago. Ayúdala a describir lo que hicieron usando las siguientes palabras y frases. *(Hint: Complete the sentences.)*

> sabroso   anduvimos   dijo   Estoy de acuerdo   especialidad de la casa

El sábado pasado, visité a mi prima Juana en Chicago. Cuando llegué, ella me

_____: "Vamos a almorzar en un restaurante cubano. La comida es

deliciosa. Ayer comí el pollo asado, que es la _____".

Entonces, _____ buscando un buen restaurante para comer un

almuerzo magnífico. _____ con mi prima: el pollo asado estuvo muy

_____.

2 ¿Tradicional o moderno?

A ti te encanta hablar de pintura. Completa las oraciones con una de estas palabras: **enormes, raro, moderno, talento.** *(Hint: Choose the word that best completes each sentence.)*

1. El arte de Picasso no es tradicional, es _____.

2. Vincent van Gogh tuvo mucho _____.

3. Los murales de Diego Rivera no son simplemente grandes, son _____.

4. Pienso que el retrato de la Mona Lisa es _____.

3 Para tu desayuno

Describe lo que pides normalmente para el desayuno en un restaurante. Puedes usar las siguientes comidas u otras comidas. *(Hint: Describe what you order for breakfast.)*

> cereal   fresas   yogur   huevos   jamón

modelo: Pido cereal con leche para mi desayuno.

_____

_____

VOCABULARIO

ACTIVIDAD 1 **¿Qué ves?**

Escribe la palabra que aparece en el dibujo. *(Hint: Write what you see in the drawing.)*

1. Recomendamos con jamón para el desayuno. _____

2. En nuestro restaurante, servimos un  sabroso. _____

3. Los niños siempre piden de vainilla. _____

4. Es común usar para hacer un batido. _____

ACTIVIDAD 2 **¿Qué soy?**

Usa las pistas para resolver las adivinanzas. *(Hint: Use the clues to solve the riddles.)*

1. Yo hago retratos y pinturas. Soy un(a) _____.

2. Soy una pintura o una escultura. Soy una _____.

3. La estatua de David, por Miguel Ángel, es un ejemplo. Soy una _____.

4. Muestro exposiciones, pero no soy un museo. Soy una _____.

ACTIVIDAD 3 **Mi visita al museo**

Estás en un museo. Describe una de las pinturas que veas. *(Hint: Describe a painting.)*

formal obra retrato talento enorme tradicional moderno antiguo galería

_____

_____

_____

GRAMÁTICA A

ACTIVIDAD 1 ¿Cuál es la palabra correcta?

Escoge la palabra correcta para completar las oraciones. (*Hint: Choose the best response.*)

1. Ayer Juan y yo _____ a Chicago para ver las obras de arte.

    a. vinieron   **b.** vinimos   **c.** anduvieron

2. Yo _____ comprar una obra de arte para mi mamá.

    a. quise   **b.** gusta   **c.** quisiste

3. Tú no _____ comprar el retrato que viste en la exposición.

    a. puso   **b.** trajiste   **c.** pudiste

4. ¿A qué hora _____ usted en el Museo de Arte Antiguo? No lo encontré.

    a. puso   **b.** estuvo   **c.** condujo

5. Mis profesores _____ que Diego Rivera nació en México.

    a. supimos   **b.** anduvieron   **c.** dijeron

ACTIVIDAD 2 ¡A comer!

Subraya la palabra correcta para completar la oración. (*Hint: Underline the correct word.*)

1. Nosotros (recomiendan/recomendamos) la comida japonesa.

2. Yo siempre (sirvo/servimos) el yogur con frutas en el verano.

3. Mi tía (sirven/sirve) los huevos con jamón.

4. La mesera nos (muestras/muestra) el menú.

5. Tú (pides/pide) la especialidad de la casa.

ACTIVIDAD 3 ¿Fuiste al cine?

Escribe si hiciste o no las siguientes actividades el año pasado. (*Hint: Write whether or not you did the following activities.*)

    modelo: ir al cine <u>No fui al cine el año pasado.</u>

1. poner la mesa _____

2. estar en un restaurante dominicano _____

3. tener una exposición en una galería _____

4. traer un animal a la escuela _____

GRAMÁTICA B

ACTIVIDAD 1 ¿Qué verbo?

Escribe la forma correcta del verbo entre paréntesis para decir lo que pasó ayer. *(Hint: Tell what happened yesterday.)*

1. Nosotros _____ (poner) la comida en la mesa.

2. Mi hermano _____ (traer) una ensalada para la fiesta.

3. La artista _____ (venir) al restaurante con sus padres.

4. Tú _____ (estar) en casa de tus abuelos.

ACTIVIDAD 2 ¿Vamos a ver el béisbol?

Ayuda a Mónica y a Luisa a terminar su conversación. Escribe el presente o el pretérito de los verbos entre paréntesis. *(Hint: Write the correct verb.)*

Mónica: Oye, Luisa, los Cachorros _____ (jugar) contra los Mets hoy. ¿Quieres venir conmigo a ver el partido?

Luisa: _____ (querer) ir contigo, pero no puedo. Mi mamá me _____ (decir) que no puedo hacer nada por una semana.

Mónica: Pero la última vez, nosotras _____ (ir) y no pasó nada.

Luisa: El problema es que ayer, después de la escuela, yo no _____ (venir) a casa para cuidar a mi hermanito. Mamá _____ (tener) que esperarme una hora y media. Todavía está furiosa conmigo.

ACTIVIDAD 3 El verano pasado

¿Qué actividades no pudiste hacer o quisiste hacer el verano pasado? *(Hint: What were you not able to do? What did you try to do?)*

modelo: <u>No pude patinar.</u>   <u>Quise jugar al voleibol.</u>

_____

_____

_____

GRAMÁTICA

ACTIVIDAD 1 ¿Qué trajiste?

Responde a las siguientes preguntas. Usa los dibujos o las palabras entre paréntesis. *(Hint: Use the drawings or words to answer the questions.)*

1. ¿Qué trajiste a la escuela ayer? _____

2. ¿Quién estuvo en el restaurante? (yo) _____

3. ¿Quiénes quisieron las habichuelas coloradas? (Elena y Alejandro) _____

_____

4. ¿Qué postre trajeron ustedes? _____

ACTIVIDAD 2 ¿Qué pasó en la fiesta?

Escribe tres oraciones sobre una experiencia que tú o un conocido tuvieron en una fiesta. Usa los verbos **venir, decir** y **traer.** *(Hint: Write about an experience you or someone else had at a party.)*

_____

_____

_____

ACTIVIDAD 3 Un deporte favorito

Explica cómo juegas a tu deporte favorito. ¿Recomiendas este deporte? *(Hint: Write about playing your favorite sport.)*

_____

_____

_____

_____

LECTURA A

Te invito a una exposición de

Fernando Botero

Fecha: 1 de julio, entre las ocho y las diez de la noche
Lugar: La Galería de Arte Sudamericana
Precio: 20 dólares

Ven a ver el arte de Botero. Sus enormes pinturas y esculturas muestran la razón por la que él es conocido como el talento más grande de Colombia.

A las nueve, disfruta una cena sabrosa de comida colombiana.

¿Comprendiste?

1. ¿Para qué es la invitación? _____

2. ¿Qué tipo de arte hace Botero? _____

3. ¿De dónde es Botero? _____

4. ¿Qué va a pasar a las nueve? _____

¿Qué piensas?

1. ¿Qué prefieres, ir a una galería o a un restaurante? ¿Por qué?_____
_____

2. ¿Cuál es más interesante para ti, la escultura o la pintura? ¿Por qué? _____
_____

LECTURA B

Receta

Sobre gustos...

Las frutas muy
jugosas –cítricos,
bayas[1], melones–
son muy apropiadas
para hacer sorbetes,
pero se puede
utilizar casi cualquier
ingrediente.

SORBETE DE MELÓN

Ingredientes
un melón mediano
el zumo[2] de un limón
cuatro cucharadas de azúcar

Preparación
Se bate[3] la carne de la fruta y se añade[4] el zumo de limón
y el azúcar hasta que quede un puré. La mezcla ya está
preparada para congelar[5].

[1] berries   [2] *jugo*   [3] beat   [4] add   [5] to freeze

¿Comprendiste?

1. ¿Qué frutas son buenas para hacer sorbetes? _____
_____

2. ¿Qué más necesitas para hacer sorbete? _____
_____

3. ¿Cuál es la diferencia entre un sorbete y un helado? _____
_____

4. Si quieres cambiar el sabor del sorbete, ¿cómo puedes hacerlo? _____
_____

¿Qué piensas?

1. ¿Te gustan los sorbetes? Si contestas sí, ¿qué sabor prefieres? _____
_____

2. En tu opinión, ¿es fácil hacer un sorbete? _____
_____

LECTURA C

El sabor de México en una casa en Chicago
Un ensayo por Susana Alvarado, escuela San Ignacio

Mi abuela vino de México a Chicago hace cincuenta años. El verano pasado fui a visitarla sola por primera vez. Tuve que viajar en tren, un viaje largo desde California.

Mis padres me mandaron a ayudarla y conocerla mejor. Fui por todo un verano para hacer los quehaceres y otras cosas. Le ayudé mucho: compré la comida, limpié sus muebles lujosos y retratos antiguos, y le traje su medicina de la farmacia. Pero ella me dio más: me contó la historia de su interesante vida en México y Chicago, y, aún más memorable, me enseñó a cocinar comida mexicana: los frijoles deliciosos, mole poblano, tamales y licuados de fruta.

Aunque mi abuela nunca regresó a México, nunca lo olvidó. Como ella me dijo: «Cuando vine de México, traje el arte de preparar la comida mexicana conmigo.»

Claro que mi abuela es una artista… y la comida mexicana es solamente una de sus bellas artes.

¿Comprendiste?

1. ¿Cómo ayudó Susana a su abuela? _____

_____

2. El título es «El sabor de México en una casa en Chicago». ¿Cuáles son algunos

de los «sabores»? _____

3. ¿Cuánto tiempo pasó Susana con su abuela? _____

4. ¿Cómo viajó Susana a Chicago? _____

¿Qué piensas?

1. ¿Por qué piensas que la abuela no olvidó el arte de preparar la comida mexicana?

_____

2. ¿Qué es un licuado? Adivina, si no sabes la respuesta. _____

3. En tu opinión, ¿qué piensa Susana de su abuela? _____

_____

Crucigrama: Arte y comida

Haz el crucigrama, usando palabras de esta etapa. *(Hint: Complete the crossword puzzle.)*

Horizontales

1. familia del banano; un ____ verde

3. sinónimo de **caminé**

5. frutas de color morado o verde

7. un pescado que se usa en un sándwich muy popular

9. No es él, es su hermana.

11. La exposición es en la ____ de arte.

13. Un retrato es un ejemplo de una.

15. lo que hace el mesero con la comida

Verticales

1. la preparación de una carne popular por todo el Caribe

2. plátanos fritos

4. me ponen encima del pan

6. lo opuesto de **sí**

8. Juan no ____ (poder) comer conmigo anoche.

10. Pensamos que tienes razón: Nosotros ____ ____ ____ .

12. ¿Qué ____ te gusta más —el chocolate o la fresa?

14. la usas con café, la usas con cereal

VOCABULARIO A

ACTIVIDAD 1 Las noticias

Luis necesita tu ayuda para recordar cómo se publica un periódico. Usa las siguientes palabras para ayudarlo. *(Hint: Answer the questions.)*

> el (la) fotógrafo(a)   el (la) editor(a)   el (la) periodista   el titular

1. ¿Quién escribe lo que pasó? _____

2. ¿Quién saca las fotos que vienen con los artículos? _____

3. ¿Cómo se llama el título de un artículo en el periódico? _____

4. ¿Quién busca errores en los artículos? _____

ACTIVIDAD 2 ¿Qué pasó?

Subraya la palabra correcta para completar la oración. *(Hint: Underline the best word.)*

1. En las noticias locales leí que unos estudiantes rescataron un gato del río. Ellos son (ladrones / héroes).

2. Quiero saber qué pasó anoche. Voy a ver las (noticias / tiras cómicas).

3. Juan leyó un artículo sobre una elección en España. Le gustan las noticias (locales / internacionales).

4. El hombre que hizo el reportaje ayer es muy inteligente. Me gustaría conocer a ese (editor / reportero).

5. Cuando veo el noticiero, prefiero ver el (canal / titular) diez.

ACTIVIDAD 3 El periodismo

Si la oración es cierta, marca con un círculo la **C**. Si la oración es falsa, marca con un círculo la **F**. *(Hint: Circle C for true or F for false.)*

C   F   **1.** Un(a) reportero(a) debe estar bien informado(a).

C   F   **2.** El titular de un artículo contiene solamente los hechos más importantes.

C   F   **3.** El trabajo de los editores es escribir errores en los artículos.

C   F   **4.** Normalmente, los fotógrafos escriben artículos sobre las noticias.

VOCABULARIO

 ACTIVIDAD 1 ¿De veras? o ¡Ya lo sé!

Lee los siguientes titulares y escribe tu reacción con **¿De veras?** o **¡Ya lo sé!** *(Hint: Write your response to the headlines.)*

1. ABRAHAM LINCOLN MURIÓ EN 1865 _____

2. Un fotógrafo no escribe artículos _____

3. *Cierran todos los bancos* _____

ACTIVIDAD 2 El reportaje que escuchó Eva

Eva escuchó malas noticias ayer. Ayúdala a describir lo que ocurrió. Usa las siguientes palabras o frases en tus respuestas. *(Hint: Fill in the blanks.)*

ladrón	de repente	canal	robó

Hubo un robo en mi barrio. Alguien _____ una pintura famosa del museo

de arte. En el _____ cinco, el reportero dijo que a las dos de la mañana

_____ la alarma sonó. ¡Imagínate! El _____ se llevó una pintura que

vale cuatro millones de dólares.

ACTIVIDAD 3 ¿Prefieres leer el periódico o ver las noticias?

Escribe un párrafo corto y explica si prefieres ver las noticias en la televisión o leerlas en el periódico, y por qué. Usa palabras de la siguiente lista. *(Hint: Do you get the news from TV or the newspaper?)*

anuncio	canal	noticiero	periodista	programa	reportaje	artículo

_____

_____

¡En español! Level 2

VOCABULARIO C

ACTIVIDAD 1 Los periódicos

Completa las siguientes oraciones. *(Hint: Complete the sentences.)*

1. Para ser reportero(a), tienes que estudiar _____ en la universidad.

2. Para ser _____, necesitas buscar errores en un manuscrito y corregirlos.

3. _____ no usan palabras para describir una escena; lo hacen visualmente.

4. *Garfield* es un ejemplo de una _____.

ACTIVIDAD 2 Las reacciones

Tu hermana lee el periódico. Tú la oyes exclamar. Imagina los titulares que causan su reacción y escríbelos. *(Hint: Write headlines that you think may cause your sister to react with the following exclamations.)*

modelo: ¡Es ridículo!
Las escuelas cancelan las vacaciones de verano.

1. ¡No me digas! _____

2. ¿Tú crees? _____

3. ¡Ya lo sé! _____

ACTIVIDAD 3 Tú, el (la) reportero(a)

Escribe un artículo sobre un rescate o un robo. Puede ser para un periódico o para un noticiero de televisión. Ponle un titular al artículo. *(Hint: Write an article about a rescue or a robbery.)*

modelo: Humacao, Puerto Rico. Jueves, después de dos días de lluvia y viento, el huracán Pierre llegó a la isla...

_____
_____
_____
_____
_____
_____
_____

GRAMÁTICA

ACTIVIDAD 1 ¿Ese o esa?

Subraya el adjetivo demostrativo que corresponde a cada palabra. *(Hint: Underline the correct demonstrative adjective.)*

1. (ese/esa) reportero

2. (estas/estos) artículos

3. (esas/esos) editoras

4. (aquellas/aquellos) programas

ACTIVIDAD 2 Querida tía Luz

Completa esta tarjeta postal con las siguientes palabras: **leí, creí, compitieron**. *(Hint: Write a postcard to your aunt.)*

> Querida tía Luz,
>
> ¿Cómo estás? Te escribo porque _____ que te gustaría recibir
>
> noticias de tu hijo, Samuel. Anoche descubrí que él vive ahora en Chicago.
>
> Anoche _____ un artículo en el periódico sobre un partido de
>
> béisbol. Un equipo mexicano y un equipo puertorriqueño _____. Una
>
> foto acompañó el artículo —¡de Samuel!
>
> Bueno, tía, esta noche vamos a reunirnos. Te escribo pronto con los detalles.
>
> Con cariño,
>
> Pilar

ACTIVIDAD 3 ¿Qué oíste?

Combina las siguientes frases para completar las oraciones. *(Hint: Complete the sentences.)*

> el hombre chileno   las televidentes bolivianas   en el canal cinco
> prefirieron los noticieros internacionales   hubo un programa de heroínas locales
> prefirió escribir durante la noche

1. Milagros creyó que _____.

2. Mis padres leyeron que _____.

3. ¿Supiste que _____?

¡En español! Level 2

Unidad 1 Etapa 3

Actividades para todos GRAMÁTICA

A

GRAMÁTICA B

 ACTIVIDAD 1 Aquel autor escribe bien. Aquél escribe bien.

Lee la primera oración y escribe el pronombre demostrativo en el espacio en blanco. *(Hint: Write the appropriate demonstrative pronoun.)*

1. Ramón leyó esta revista. Ramón leyó _____.

2. Esos retratos son antiguos. _____ son antiguos.

3. ¿Es esa reportera su favorita? ¿Es _____ su favorita?

4. Aquellas cámaras son del fotógrafo. _____ son del fotógrafo.

ACTIVIDAD 2 ¿Qué hizo María?

María pasó un fin de semana tranquilo. Con los dibujos y las pistas, escribe tres oraciones que describan lo que hizo. *(Hint: Describe what María did.)*

1. **2.** **3.**

1. _____

2. _____

3. _____

ACTIVIDAD 3 Somos diferentes

Imagina que la semana pasada tú y tu familia fueron de vacaciones. Describe lo que hicieron algunos miembros de la familia. *(Hint: Write about a family vacation.)*

leer	preferir	dormir	pedir	competir

modelo: Mis hermanas leyeron revistas de deportes. Leí libros con heroínas y héroes...

_____

_____

_____

_____

GRAMÁTICA

....

1 No están bien informados

Te molesta cuando las revistas dicen cosas falsas sobre tu actor favorito. Completa las oraciones con las formas correctas de los siguientes verbos. (*Hint: Complete the sentences with forms of the following verbs.*)

| morir | leer | servir | pedir |

1. Se dice que en su última película él se _____, pero no es verdad.

2. Se dice que él comió pastel anoche, pero la mesera le _____ su postre favorito: galletas.

3. Se dice que seleccionó la chaqueta azul, pero _____ la chaqueta negra.

4. Se dice que cantó en la ceremonia, pero _____ un poema.

2 ¿Este lugar o ese lugar?

Completa las oraciones con el adjetivo demostrativo correcto. (*Hint: Fill in the correct demonstrative adjective.*)

1. Tu amigo hondureño prefiere _____ casa, al otro lado de la calle.

2. Tu amigo guatemalteco prefiere _____ lugar, enfrente de ti.

3. Tú prefieres _____ casa, lejos de la calle.

4. Pero a tu amigo chileno no le gusta la casa lejos de la calle a causa de

_____ árboles grandes.

3 Conozco a una autora famosa

Usa los verbos **conocer** y **saber** para escribir sobre alguien famoso. La persona puede ser real o imaginaria. (*Hint: Write about a famous person. The person can be real or imagined.*)

   modelo: El año pasado conocí a una escritora boliviana. Sé que ella...

_____

_____

_____

_____

LECTURA A

···

Un anuncio

Voz 1: ¿Supiste que hubo un rescate de avión en las aguas cerca de Miami anoche?

Voz 2: ¡No me digas! No leí nada sobre este rescate en el periódico.

Voz 1: ¿Supiste que el héroe fue un pasajero dominicano?

Voz 2: ¿De veras? ¿Cómo lo supiste?

Voz 1: Porque soy Rafael Montero, el reportero de Canal 25. Anoche estuve allí con todos los detalles.

Voz 2: Quiero oír más. Quiero estar bien informado.

Voz 1: Entonces, vean el Canal 25, cada noche a las cinco, para enterarse de todas las noticias locales e internacionales. Nuestro programa es exclusivamente para ustedes, los televidentes de Miami.

¿Comprendiste?

1. ¿Para qué es el anuncio? _____

2. ¿Qué pasó anoche en Miami? _____

3. ¿Quién es la voz 1? _____

4. ¿Quién leyó el periódico? _____

¿Qué piensas?

1. ¿Te gustan los anuncios? ¿Por qué? _____

_____

_____

2. ¿Prefieres las noticias locales o internacionales? ¿Por qué?

_____

_____

Unidad 1
Etapa 3

Actividades para todos

LECTURA

A

LECTURA

¿Comprendiste?

1. ¿Qué hace el fotógrafo con su cámara?_____

2. ¿Por qué dice el reportero que es un héroe? _____

3. ¿Quién se considera «la artista del grupo»?_____

4. ¿Qué pasa al fin de la tira cómica? _____

¿Qué piensas?

1. En tu opinión, ¿cuál de las profesiones es la más interesante? ¿Por qué?

_____

2. ¿Te gustan las tiras cómicas? ¿Cuál es tu favorita y por qué?_____

_____

LECTURA C

Ricky Martin saluda a millares[1] de admiradoras

SOUTH MIAMI, Estados Unidos (AP)—Para Karla Díaz la posibilidad de conocer a su ídolo Ricky Martin fue razón suficiente para despertarse a las 5:00 de la mañana, 12 horas antes de que el artista visitara Miami para un encuentro con sus admiradores.

«Habría pasado la noche aquí», expresó la jovencita de 16 años, que llevaba un cartel que rezaba: «Te amo Ricky. Gracias por toda tu música».

Díaz fue una de miles de personas que se congregaron la tarde del viernes en la tienda Virgin Megastore para saludar a Martin.

El cantante puertorriqueño promueve[2] su nuevo álbum de canciones en inglés, titulado «Ricky Martin». El primer número de la colección, «Livin' la Vida Loca», encabeza la lista de las canciones más populares en Estados Unidos.

«Me place estar aquí para saludar a mis fanáticos uno por uno», expresó Martin.

El artista de 27 años ha conocido la fama por muchos años. Empezó con el grupo Menudo y luego actuó en una telenovela estadounidense y en Broadway en la obra musical «Los Miserables».

[1] thousands   [2] is promoting

¿Comprendiste?

1. Según el titular del artículo, ¿qué hace Ricky Martin? _____

2. ¿Quién es Karla Díaz? _____

3. ¿Cierto o falso? Ricky Martin es ecuatoriano. _____

4. Explica por qué la popularidad de Ricky Martin no es nada nuevo. _____

_____

¿Qué piensas?

1. ¿Por qué vino Ricky Martin a Miami? _____

_____

_____

2. Imagínate que eres editor(a). ¿Qué piensas de este artículo? _____

¡Encuentra las palabras!

Responde a las preguntas, busca las palabras y márcalas con un círculo. No olvides
buscar en dirección horizontal, vertical y diagonal. *(Hint: Circle the answer to each
question.)*

¿Quién es?

1. Stephen King
2. Jane Pauley
3. Monet

¿Qué es?

1. *Peanuts*
2. *20/20*
3. *El Nuevo Herald*

¿Cómo se dice?

1. el pretérito de **leo**
2. el pretérito de **duerme**
3. el pretérito de **oyen**

```
E  S  T  A  M  A  E  P  M  E  P
L  J  U  E  G  U  N  D  N  V  P
I  O  A  N  A  T  O  R  O  U  E
A  L  E  Í  L  O  P  U  R  D  R
T  Ó  D  E  A  R  I  S  E  T  I
S  G  G  T  B  O  H  É  I  R  Ó
I  U  E  R  O  C  O  R  F  L  D
T  N  E  N  R  É  A  N  A  T  I
R  I  O  E  D  C  A  A  B  Í  C
A  P  S  T  Ó  N  O  R  E  Y  O
D  U  R  M  I  Ó  L  E  R  Í  A
O  A  I  I  V  C  M  O  S  T  C
R  C  É  L  N  A  I  O  M  I  U
A  R  E  T  R  O  P  E  R  R  É
G  R  U  F  F  U  D  P  R  M  X
H  E  M  O  S  E  S  M  U  O  Ó
```

VOCABULARIO

ACTIVIDAD 1 Las gemelas

Cuando las gemelas eran pequeñas, a Adriana le gustaba estar al aire libre y Andrea prefería estar en la casa. Lee las oraciones e indica con una raya si se refieren a Adriana o a Andrea. *(Hint: Match the sentence to the correct face.)*

1. Cuando era niña, trepaba a los árboles.

2. Cuando era niña, construía casitas para sus muñecas.

3. Cuando era niña, saltaba la cuerda.

4. Cuando era niña, jugaba con muñecos de peluche.

Adriana

Andrea

ACTIVIDAD 2 ¿La familia Brady?

Estudia el diagrama. Luego completa la oración con la palabra correcta. *(Hint: Complete the sentences.)*

> hermanastra   padrastro   madrastra   hermanastro

1. Óscar es el _____ de Pedro.

2. Isabel es la _____ de Eduardo.

3. Marta es la _____ de Isabel.

4. Pedro es el _____ de Isabel.

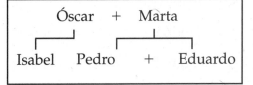

Óscar + Marta

Isabel   Pedro + Eduardo

ACTIVIDAD 3 Cuando era niño(a)

Descríbete a ti mismo(a) cuando eras niño(a). *(Hint: What were you like as a child?)*

modelo: Cuando era niña, yo era impaciente.

_____

_____

_____

VOCABULARIO B

ACTIVIDAD 1 Mis recuerdos de Tina

Ayuda a Celinda a describir a su mejor amiga de la escuela. *(Hint: Help Celinda describe her best friend.)*

> animada   amistad   se enojaba   nos reíamos   compañeras

Mi mejor amiga, Tina, estudiaba en la misma escuela que yo. Éramos

_____ de clase. Ella era una chica muy _____ que

siempre contaba chistes durante la clase. Nosotras _____ tanto durante

la clase que la maestra _____ con nosotras. Teníamos una

_____ que no voy a olvidar nunca.

ACTIVIDAD 2 ¿Te cansas?

Completa cada oración con una de estas frases: **me canso, me sonrío, me aburro, me río.** *(Hint: Choose the verb that best completes the sentence.)*

1. Cuando veo a un bebé jugando con un muñeco de peluche, _____.

2. Después de saltar la cuerda por una hora, _____.

3. Cuando un amigo me cuenta chistes, _____.

4. Cuando llueve y no puedo practicar deportes, _____.

ACTIVIDAD 3 Las reacciones

Recuerda sensaciones que tenías cuando eras niño(a) y da una razón para cada una de las sensaciones. *(Hint: Describe how you felt when you were little.)*

modelo: Me asustaba
<u>Me asustaba porque creía en los monstruos.</u>

1. Me aburría _____.

2. Me cansaba _____.

3. Me enojaba _____.

4. Me divertía _____.

¡En español! Level 2

VOCABULARIO

 1 Mi bisabuela

Margarita describe a su bisabuela. Ayúdala a terminar su párrafo. *(Hint: Complete the paragraph.)*

Mi bisabuela fue, y todavía es, una mujer muy interesante. Cuando era

_____, le aburría mucho jugar con las muñecas. Prefería trepar a los

_____. Aunque no tenía mucho dinero, mi bisabuela no se sentía

_____. Para divertirse, pasaba las horas contando _____

con sus amigos. A veces, mi bisabuela me cuenta los chistes e historias de su niñez.

2 ¿Qué están haciendo?

En casa de los Martínez están pasando muchas cosas. Observa el dibujo y describe lo que hace cada persona. *(Hint: Describe what is happening.)*

> **modelo:** Las gemelas se están peleando por una muñeca.

1. _____

2. _____

3. _____

4. _____

 3 En su niñez

Escribe un párrafo para describir las experiencias de la niñez de un familiar o un(a) amigo(a). *(Hint: Write about the childhood of a relative or friend.)*

> **modelo:** Cuando mi papá era niño, era un chico muy tímido. Nunca peleaba…

_____

_____

_____

Nombre _____   Clase _____   Fecha _____

GRAMÁTICA

 **¿Mías o mis?**

Subraya la palabra correcta para completar la oración. *(Hint: Underline the correct word.)*

1. (Mías / Mis) marionetas son de México.

2. Me gusta construir casas con (sus / suyos) bloques.

3. (Nuestra / Nuestro) sobrino se ríe mucho.

4. Conocí a un pariente (tu / tuyo).

5. Una amiga (suya / su) se peleaba con un amigo mío.

2 Cuando Rita era niña

Rita habla de su niñez. Traza una línea para formar oraciones completas. *(Hint: Connect the phrases to form sentences.)*

1. Cuando los chicos contaban chistes,   trepaba a los árboles.

2. Mi hermanastra se quedaba en casa y   saltaban la cuerda.

3. Los gemelos se reunían con los amigos y   construía edificios con bloques.

4. Yo me preocupaba por mi hermanastro cada vez que   se divertían mucho.

3 ¿Tenía qué?

Escribe cuándo y por qué tenías las siguientes reacciones. *(Hint: Write about when and why you felt a certain way.)*

> **modelo:** tener vergüenza
> Yo tenía vergüenza cuando me portaba mal.

1. tener cuidado _____

2. tener envidia _____

3. tener éxito _____

¡En español! Level 2

GRAMÁTICA

ACTIVIDAD 1 El juguete

¿De quién es este juguete? Completa el diálogo. *(Hint: Complete the dialog.)*

> mi   tu   mío   suyo   mía

Mamá: Liliana, ¿es éste _____ juguete?

Liliana: No, no es _____. Tal vez es de mi prima, María.

Mamá: No, no es _____. Ella jugaba con nuestras marionetas.

Liliana: Mamá, ¿me puedes mostrar el juguete una vez más?

Mamá: Aquí está. Es una muñeca.

Liliana: ¡Sí! ¡Es _____ muñeca! Ahora que la veo mejor, me doy cuenta de que es _____. Disculpa, Mamá.

ACTIVIDAD 2 Cuando eran niños

Mira los dibujos y escribe lo que hacían los parientes de Liliana cuando eran niños. *(Hint: Use the clues to complete the sentences.)*

1. Mi bisabuelo _____.

2. Mi cuñado _____.

3. Mi hermano _____.

ACTIVIDAD 3 Mi juguete favorito

Escribe algunas oraciones sobre tu juguete favorito cuando eras pequeño(a). *(Hint: Write about your favorite childhood toy.)*

modelo: Cuando tenía cinco años, tenía una muñeca que me gustaba mucho.

_____

_____

Nombre _____ Clase _____ Fecha _____

GRAMÁTICA C

ACTIVIDAD 1 Trae el suyo

Los Hernández se van de vacaciones y llevan muchas cosas. Completa la oración según el modelo. *(Hint: Complete the sentences.)*

   modelo: Él trae su juguete. <u>Trae el suyo.</u>

1. Los gemelos traen sus juguetes de peluche. Traen _____.

2. Yo traigo mi periódico. Traigo _____.

3. Mis hermanos traen sus canoas. Traen _____.

4. Tú traes tu cámara. Traes _____.

ACTIVIDAD 2 ¿Quién se asustaba?

Contesta las siguientes preguntas. *(Hint: Answer the following questions.)*

1. ¿Con quién jugabas cuando eras niño(a)? _____

_____

2. ¿En qué situaciones se divertía una amiga tuya? _____

_____

3. ¿Cuándo se cansaba tu maestra de escuela primaria? _____

_____

4. ¿Qué hora era cuando llegaste? _____

ACTIVIDAD 3 Las consecuencias

Cuenta una experiencia que causó una impresión fuerte a ti y a tu familia. *(Hint: Write about something dramatic that happened when you were little.)*

   modelo: <u>Cuando era niña, me caí en un río y no sabía nadar. Mi padrastro, que</u>
   <u>estaba sentado muy cerca, saltó al río y me ayudó. Desde aquel día,</u>
   <u>tengo mucho más cuidado.</u>

_____

_____

_____

_____

¡En español! Level 2

Nombre _____ Clase _____ Fecha _____

LECTURA **A**

Una página de la vida de Gabriel Santana

Observa las fotos del álbum de Gabriel y contesta las preguntas.

a. Mis hermanastros no se asustan de nada.

b. Mi papá y mi madrastra juegan con mi hermanita. ¡Qué divertida es ella!

c. Y el más amable de la familia... soy yo, el hermano obediente.

¿Comprendiste?

1. ¿Qué hacen las personas de las fotos **a** y **b**?

a. _____ **b.** _____

2. Según Gabriel, ¿quién es divertida? _____

3. Según Gabriel, ¿quién es el más amable de la familia? _____

_____

¿Qué piensas?

1. En tu opinión, ¿es Gabriel un muchacho tímido? _____

_____

2. En tu álbum de fotos, ¿a qué parientes te gustaría incluir? ¿Por qué? _____

_____

Nombre _____ Clase _____ Fecha _____

LECTURA B

Lee el cuento y contesta las preguntas.

> ### El papá, su hijo y el burro[1]
>
> Había una vez un padre muy amable que vivía con su hijo. Eran trabajadores, y aunque su trabajo era muy difícil, disfrutaban mucho mientras trabajaban en el campo: el padre le contaba chistes a su hijo.
>
> El padre tenía un burro que los ayudaba. Era sólo un burro, pero muy trabajador y casi nunca se cansaba. Por eso, fue una sorpresa cuando un día el hijo dijo que él quería un burro también. Le dijo a su papá: «Necesito un burro. El tuyo ya está viejo.» El papá se preocupaba por su hijo, porque le parecía[2] que él se estaba convirtiendo en[3] un muchacho impaciente. Pero no quería pelearse, entonces le dijo: «Está bien. Vamos a comprar un burro para ti.»
>
> El próximo día, le dijo a su hijo: «¡Aquí está tu burro!» El muchacho feliz le preguntó: «¿Dónde, Papá?» El papá le respondió: «En las manos mías, hijo.» Y allí, en las manos del papá, había un burro: ¡un burro de peluche!

[1] donkey   [2] it seemed   [3] was turning into

¿Comprendiste?

1. ¿Qué hacían padre e hijo mientras trabajaban? _____

_____

2. ¿Qué quería el muchacho y por qué? _____

_____

3. ¿Por qué se preocupaba el padre? _____

_____

4. ¿Dónde estaba el nuevo burro? _____

¿Qué piensas?

1. En tu opinión, ¿por qué le dio el papá un muñeco de peluche a su hijo? _____

_____

2. ¿Cuál piensas que es la lección del cuento? _____

_____

LECTURA C

Hola Mamá, hola Papá:

¡Estoy tan enojado con ustedes! ¿Por qué me dejaron
aquí por dos semanas con todos estos bebés?
Llovió todo el día hoy, así que dibujamos en la
cabaña[1]. Queríamos construir una casita en uno de
los árboles grandes, pero los adultos nos dijeron
que no, que debíamos tener mucho cuidado por la
lluvia. Creo que hay más peligro en la cabaña. Me
caí de mi cama anoche y todos los niños del
campamento se rieron. ¿No están ustedes
preocupados por mí? ¡Un momento! Ya no está lloviendo.
Mis compañeros van a nadar al lago. ¡Están jugando al
fútbol! Mamá, Papá, discúlpenme, pero ¡me voy a jugar!
Chao,
Enrique

[1] cabin

¿Comprendiste?

1. ¿Dónde está el muchacho? _____

2. Describe la personalidad del muchacho. ¿Es paciente? _____

3. ¿Por qué dijo que es peligroso estar dentro de la cabaña? _____

_____

4. ¿Cómo es la actitud del muchacho al final de la carta? _____

_____

¿Qué piensas?

1. En tu opinión, ¿qué están pensando los padres del muchacho? _____

_____

2. ¿Te gustaría conocer a este muchacho? ¿Por qué sí o por qué no? _____

_____

Busca las palabras

Completa las oraciones y contesta las preguntas. Luego busca las respuestas.
(Hint: Answer each item, then find the words below.)

1. El esposo de mi hermana es mi _____ .

2. La hija de mi padrastro es mi _____ .

3. El papá de mi papá es mi _____ .

4. La hija de mi hermana es mi _____ .

¿Qué es lo opuesto de…?

1. ¿pobre? _____ **3.** ¿paciente? _____

2. ¿sociable? _____ **4.** ¿destruir? _____

S	U	W	G	C	K	S	O	Y	P	E
P	O	X	A	H	N	Y	L	A	J	P
O	R	B	E	Z	A	E	P	M	E	H
L	Í	L	R	O	A	B	D	N	E	E
Ñ	G	U	T	I	L	I	R	R	T	É
O	F	F	G	L	N	S	M	R	N	T
U	Ó	D	C	U	Ñ	A	D	O	E	A
Q	G	G	O	B	N	B	É	U	I	M
U	U	E	N	A	C	U	T	F	C	Í
É	T	E	S	R	É	E	N	A	A	S
S	I	T	T	D	L	L	A	B	P	D
A	R	S	R	Ó	L	O	C	O	M	E
A	O	I	U	S	A	L	E	R	I	A
O	A	V	I	T	Í	M	I	D	O	C
R	C	É	R	I	C	O	O	M	I	U

¡En español! Level 2

VOCABULARIO

 1 Una fiesta de cumpleaños

Completa las oraciones para ayudar a Gabriela a prepararle una fiesta de cumpleaños a su hija. *(Hint: Complete the sentences.)*

| adornos | invitaciones | piñata | tercero | velas |

1. Para empezar, tengo que mandarles todas las _____ a sus amigas.

2. Segundo, necesito ir a comprar los _____ y ponerlos en la sala.

3. _____, voy a hacer el pastel.

4. Cuarto, tengo que poner dulces en la _____ .

5. Por último, tengo que encontrar cinco _____ para poner en el pastel.

2 ¿Qué tienen que hacer?

Carlota piensa que sabe la mejor respuesta a cada situación. Subraya la palabra que mejor complete cada oración. *(Hint: Underline the word that best completes the sentence.)*

1. Si das una fiesta para un amigo, es importante (ocurrirlo / sorprenderlo).

2. Mi hermana y su amigo se enamoraron. Quieren (exclamar / casarse).

3. Diego y Rigo son buenos amigos. (Se llevan bien. / Se aburren.)

4. Judy dice que tiene una sorpresa. Nadie sabe lo que va a (enamorarse / ocurrir).

3 Para celebrar

Di lo que haces para celebrar una fecha especial. Completa las oraciones con estas palabras: **boda, globos, beso, fiesta.** *(Hint: Complete each sentence.)*

1. Una semana antes de mi _____, mando las invitaciones.

2. Para los niños, compro _____ .

3. Cuando celebro el aniversario de _____ de mis padres, les doy un regalo.

4. Cuando mi abuela llega a la fiesta, le doy un _____ .

Unidad 2
Etapa 2

Actividades para todos
VOCABULARIO

A

VOCABULARIO B

ACTIVIDAD 1 ¿Qué están haciendo?

Mira los dibujos y completa las oraciones. *(Hint: Tell what is happening.)*

1. Están celebrando con una gran _____.

2. Los niños están rompiendo la _____.

3. Los gemelos están jugando con sus _____.

4. Los novios se están dando un _____.

ACTIVIDAD 2 Al contrario

Completa las oraciones con lo contrario. Usa formas de las siguientes palabras en tus respuestas: **común, llevarse bien, felicidad, mentira.** *(Hint: Write the opposite.)*

1. Cuando mis padres se conocieron, no se peleaban. Al contrario, _____.

2. Cuando se enamoraron, no sentían tristeza. Al contrario, _____.

3. Cuando dicen que son muy viejos, no es verdad. Al contrario, _____.

4. No es raro que celebren su aniversario. Al contrario, _____.

ACTIVIDAD 3 ¿Qué pasó ayer?

Ayer ocurrieron muchas cosas. Descríbelas con las siguientes palabras. *(Hint: Write about what happened yesterday.)*

> Primero   Segundo   Tercero   Por fin

modelo: Primero, fuimos a navegar en canoa. Segundo, jugamos un partido de…

_____

_____

_____

VOCABULARIO

....

 El día de Miguel

Usa las palabras de la lista para completar la descripción del día de Miguel. *(Hint: Complete the paragraph.)*

> Por fin
> Mientras   segundo   Así fue que   en seguida   Al contrario   primer

El lunes no fue un buen día para Miguel. _____, fue un día malísimo.

El _____ problema fue que se despertó tarde y tuvo que correr para

tomar el autobús. Cuando llegó a la escuela, se dio cuenta _____ del

_____ problema: no tenía su tarea de español. Estaba en casa.

_____ caminaba a la clase de español, pensaba en lo que debía decirle a

la profesora. _____, la profesora llegó. Lo que hizo Miguel fue esto: le

dijo la verdad. La profesora dijo que lo entendía y que podía traer su tarea el martes.

_____ el día de Miguel no fue tan malo.

② Todo el mundo y la mayoría

Escribe sobre dos actividades que le gustan a todo el mundo, y sobre dos actividades que le gustan a la mayoría de la gente. *(Hint: Write about likes and dislikes.)*

> **modelo:** A la mayoría de la gente le gusta ver televisión.

1. A todo el mundo   2. A la mayoría de la gente

_____   _____

_____   _____

③ ¡Qué maravilla!

Escribe un diálogo breve entre dos amigos. Uno de ellos tiene algo interesante que contar. *(Hint: Write a dialog.)*

> **modelo:** Raúl: Sara, ¿sabes una cosa? ¡Mi hermana se va a casar!
> Sara: ¿De veras? ¡Qué maravilla! ¿Con quién se va a casar?...

_____

_____

_____

Unidad 2
Etapa 2

Actividades para todos
VOCABULARIO

C

GRAMÁTICA A

ACTIVIDAD 1 ¿Qué pasa?

Escribe lo que está pasando. *(Hint: Write what is happening.)*

modelo: Jaime / hablar / por teléfono
<u>Jaime está hablando por teléfono.</u>

1. la reportera / dar / las noticias

2. el niño / romper / la piñata

3. ellos / celebrar / un cumpleaños

_____   _____   _____

ACTIVIDAD 2 El hombre de mis sueños

Claribel asistió a una boda. Completa las oraciones. *(Hint: Complete the paragraph.)*

> nos enamoramos   celebramos   se casaron   fui   conocí

El año pasado _____ a la boda de mi hermanastro. Él y su novia

_____ en una iglesia. Disfruté mucho. La boda fue muy bonita y aquel día

_____ a un muchacho inteligente que me gustó mucho. Nosotros

_____ en seguida. Ahora _____ ese día, porque es el

aniversario de mi hermanastro, y el aniversario del día en que nos conocimos.

ACTIVIDAD 3 ¿Qué estaba ocurriendo?

Escribe lo que estaban haciendo algunas personas. *(Hint: Tell what people were doing.)*

modelo: <u>A las cuatro de la tarde, yo estaba jugando al ajedrez.</u>

1. _____

2. _____

3. _____

4. _____

GRAMÁTICA B

ACTIVIDAD 1 La fiesta de los vecinos

La curiosa Sandra está viendo una fiesta por la ventana de su casa. Subraya las palabras correctas para ayudarla a describirle la fiesta a su madre. *(Hint: Underline the correct word.)*

Sandra: Por fin los invitados (están/estaban) llegando.

Mamá: ¿Qué evento (estaban/están) celebrando?

Sandra: Creo que es una fiesta de cumpleaños para la niña. Anoche, la mamá (trae/trajo) todos los adornos a la casa, y (veía/vi) una piñata y muchos globos.

Mamá: ¿(Está /Estaba) la niña rompiendo la piñata ahora?

Sandra: Sí. Creo que la mayoría de la gente (estaba/está) allí ahora, también.

ACTIVIDAD 2 El pasado

Escribe la forma correcta del verbo entre paréntesis. *(Hint: Write the correct form of the verb.)*

1. Cuando yo _____ (ser) un muchacho, fui a Europa por primera vez.

2. La reunión _____ (ocurrir) a las siete de la noche.

3. Mientras sus hermanas estudiaban, Jorge _____ (lavar) los platos.

4. Anoche, nosotros _____ (ir) al supermercado con mi tío.

5. Mientras Ricardo _____ (cenar), salí para el centro.

ACTIVIDAD 3 Mientras caminábamos hacia el parque...

Sigue el modelo para formar oraciones. *(Hint: Create sentences.)*

modelo: contar / llamar   <u>Anoche mis hermanas contaban historias cómicas cuando mi mamá las llamó.</u>

1. caminar/ocurrir _____

2. ir/ver _____

3. estar/llegar _____

4. celebrar/romper _____

GRAMÁTICA C

ACTIVIDAD 1 ¿Qué estás haciendo?

Contesta las preguntas. Sigue el modelo. *(Hint: Answer the questions.)*

> **modelo:** ¿Qué estás comiendo de desayuno?
> Estoy comiendo jamón, huevos y pan tostado.

1. ¿Qué estás haciendo ahora? _____

2. ¿Estás disfrutando con esta actividad? _____

3. ¿Qué estabas haciendo ayer a la una? _____

4. ¿Qué estaban haciendo los demás ayer a la una? _____

ACTIVIDAD 2 ¡Vamos a la fiesta!

Escribe las palabras que faltan para completar el párrafo. *(Hint: Complete the paragraph.)*

Esta tarde, mientras yo _____ mi tarea, mi amigo Jaime me

_____ por teléfono. Me _____ que él quería ir a una fiesta, y me

_____ si yo también quería ir. ¡Le _____ que sí! Dos horas más

tarde, mientras nosotros _____ por la calle, vimos a nuestra amiga Vanessa.

Le preguntamos si _____ ir a la fiesta, pero dijo que tenía que estudiar.

ACTIVIDAD 3 Una fiesta memorable

Describe en tiempo pasado una fiesta en la que ocurrió algo interesante. Usa cuatro o más de las siguientes palabras. *(Hint: Write about something interesting that happened at a party.)*

> exclamar   sorprender   ocurrir   celebrar
> romper   caerse   llegar

> **modelo:** El año pasado, mi sobrino tuvo una fiesta para celebrar el fin del año...

_____

_____

_____

_____

LECTURA A

¿Para qué tipo de fiesta se está preparando cada persona? Mira las listas y contesta las preguntas. *(Hint: Look at the lists and answer the questions.)*

Actividades para hacer:

1. mandar las invitaciones
2. comprar los globos
3. comprar la piñata
4. informar a los invitados que es una sorpresa
5. comprar regalos
6. comprar los ingredientes para el pastel
7. hacer el pastel
8. comprar las velas (no menos de diez)
9. comprar o hacer otros adornos

Necesito:

1. decidir la fecha
2. determinar la hora
3. encontrar un sitio
4. mandar las invitaciones
5. comprar las flores
6. pedir la comida (especialmente el pastel)
7. comprar los adornos de aniversario
8. ¡Llevar a mis padres!

¿Comprendiste?

1. ¿Para qué eventos son las listas? _____

2. ¿Cuál es la séptima actividad que tiene que hacer la persona de la primera lista? __

_____

3. ¿Cuál es la cuarta actividad de la segunda lista? _____

4. ¿Quién escribió la segunda lista? ¿Cómo lo sabes? _____

_____

¿Qué piensas?

1. En tu opinión, ¿qué otras cosas te gustaría tener para celebrar una fiesta de cumpleaños? _____

2. Para celebrar un aniversario, ¿qué cosas necesitas comprar? _____

_____

LECTURA B

Lee el poema y contesta las preguntas. *(Hint: Read the poem and answer the questions.)*

La boda

Esteban viajaba por Argentina.
Cuando salía de la iglesia,
conoció a Catalina.
Al verla se enamoró,
y en un café de la plaza
le declaró su amor y la besó.

Catalina lo siguió[1].
Y la historia continuó.

Su boda se celebró en Bariloche,
en el jardín de San Roque.

Flores, globos y serpentinas[2]
adornaron la fiesta de alegría.
Los novios se abrazaron y besaron,
muy enamorados, se casaron.

No hay tristeza ni mentira
sólo amor y alegría.

Catalina y Esteban han vuelto[3]
a Argentina.
Cincuenta años pasaron,
y en el mismo café de la plaza
los esposos se besaron.

[1] followed   [2] streamers   [3] have returned

¿Comprendiste?

1. ¿Dónde se conocieron Catalina y Esteban? _____

2. ¿Qué hizo Esteban en el café de la plaza? _____

3. ¿En dónde se casaron los novios? _____

4. ¿Qué hicieron Catalina y Esteban cincuenta años después? _____

_____

¿Qué piensas?

1. ¿Sabes de algunas personas que se conocieron como Catalina y Esteban? ¿Qué
pasó? _____

2. ¿Piensas que ésta es una visión realista del amor? Explica. _____

_____

LECTURA

La pobre Beatriz piensa que tiene que confesar algo malo que hizo. Lee el siguiente texto y contesta las preguntas. *(Hint: Read the text and answer the questions.)*

La historia de una mentira

Hola. Soy Beatriz. No era mi intención contar una mentira. Lo que ocurrió fue raro. Una amiga mía me invitó a una reunión para celebrar el fin del año escolar. El día de la reunión, mientras yo estaba preparándome para ir a su casa, recibí una llamada de otro amigo. Me llamó para invitarme a su fiesta, que era a la misma hora que la otra reunión. Soy una persona tímida; no conozco a muchas personas. Mi amigo, por otro lado, es muy popular y sociable. Pensé que su fiesta iba a ser de maravilla.

A continuación, le dije a mi amigo que iba a ir a su fiesta. Llamé a mi amiga, y le mentí. Le dije que no me sentía bien y que no podía ir a su reunión. Ella estaba muy triste. De repente, el teléfono sonó. Fue mi amigo. Me dijo que tuvo que cancelar la fiesta, que su mamá estaba muy enferma y él necesitaba llevarla al hospital.

Así fue que no celebré nada con nadie aquella noche. Pero eso no es todo. ¿Sabes el verdadero motivo de la reunión de mi amiga? Era una fiesta sorpresa para mí, por ser una amiga tan buena.

Y ésta es la triste historia de una mentira.

¿Comprendiste?

1. ¿Qué pasó mientras Beatriz se estaba preparando para la reunión? _____

_____

2. ¿Por qué quería ir Beatriz a la fiesta de su amigo? _____

_____

3. ¿Cuál fue la mentira? _____

4. ¿Fue Beatriz a la fiesta de su amigo? ¿Por qué? _____

_____

¿Qué piensas?

1. En tu opinión, ¿a quién le está hablando Beatriz? _____

_____

2. ¿Qué debe hacer Beatriz ahora? _____

Unidad 2
Etapa 2
Actividades para todos
LECTURA

C

Sopa de letras

Usa las siguientes pistas para encontrar palabras en la «sopa de letras». *(Hint: Guess the answers and find the words.)*

1. Significa «aproximadamente».

2. Se lo das a alguien para expresar cariño.

3. lo opuesto de destruir

4. Cuando era niña, me gustaba _____ la cuerda.

5. Significa «juntarse».

6. forma de **ser**: nosotros(as)

7. No quiero esta casa; prefiero _____ casa.

8. una persona que tiene menos de un año

9. lo opuesto de animarse

10. lo que sentían Romeo y Julieta

11. Si corre sin mirar, puede _____.

12. lo que escuchas después de un chiste: las _____

13. No es la primera, ni la segunda, ni la tercera, ni la cuarta… Es la _____.

14. lo opuesto de llorar

C	A	S	I	U	A	B	R	A	Z	O	R	O
A	B	Y	E	F	M	R	I	B	U	E	C	T
N	L	Ú	J	C	O	N	S	T	R	U	I	R
S	A	L	T	A	R	W	A	S	E	D	Q	E
A	G	T	G	E	F	G	S	G	Í	F	R	P
R	F	I	D	R	E	U	N	I	R	S	E	S
S	O	M	O	S	U	G	L	F	S	L	S	A
E	Y	A	Q	E	S	A	T	B	E	B	É	J
X	Q	U	I	N	T	A	R	H	M	O	F	S

¡En español! Level 2

VOCABULARIO

ACTIVIDAD 1 La taquería

Ayuda a esta taquería con su menú, escribiendo los nombres de las comidas que ves.
(Hint: Write the word for each picture.)

_____ _____ _____ _____

ACTIVIDAD 2 ¿Qué hacemos en la ciudad?

Alma está ayudando a su amigo Alejandro a decidir qué hacer en la Ciudad de México. Usa las siguientes palabras para completar las oraciones. *(Hint: Complete the dialog.)*

> musical   telenovela   obra de teatro   comedia

Alejandro: Quiero reírme esta noche. No quiero pensar demasiado.

Alma: Entonces, ve a la nueva _____ .

Alejandro: También me gustaría escuchar música o a algunos cantantes.

Alma: Pues, cerca del Zócalo, presentan el _____ *Evita*.

Alejandro: Por otro lado, sería bueno ver algo con un tema importante.

Alma: Ve a la _____ *Romeo y Julieta*. La presentan en el Palacio de Bellas Artes esta noche.

Alejandro: Tal vez no. Quiero ver algo romántico, pero no muy serio.

Alma: ¡Ay, Alejandro! Mejor ve una _____ mexicana.

ACTIVIDAD 3 ¿Qué te gusta hacer?

Escoge una actividad y escribe una oración para explicar por qué te gusta. *(Hint: Write a sentence about a favorite activity.)*

modelo: Me fascinan las películas de aventuras porque tienen mucha acción.

_____

_____

_____

VOCABULARIO B

....

ACTIVIDAD 1 ¡Tengo que poner la mesa!

Sandra está preparando su restaurante para esta noche. Subraya las palabras que mejor completen su conversación con los meseros. *(Hint: Underline the correct words.)*

¡Todo el mundo quiere (almorzar/cenar) aquí esta noche! Primero, tenemos que poner (los manteles/los frijoles) en las mesas. Segundo, los clientes no pueden comer sin los (cubiertos/panes), ¿verdad? ¡Ay, no! Los vasos están mojados. Tráiganme una (servilleta/torta) para secarlos bien. Por fin veo la pimienta, pero ¿dónde está la (salchicha/sal)? Gracias, gracias. Bueno, todo está listo.

ACTIVIDAD 2 Adivina qué o quiénes son

Lee las pistas y escribe lo que son las siguientes personas o cosas. *(Hint: What are they?)*

1. Shakira, Gloria Estefan   Son _____.

2. *Evita, Cats*   Son _____.

3. Robin Williams, Chris Rock   Son _____.

4. *Days of Our Lives, Señora*   Son _____.

ACTIVIDAD 3 ¿Qué desean?

Tú y tu hermana van a un restaurante mexicano a cenar. Escribe un breve diálogo basado en esa situación. Usa el banco de palabras si lo necesitas. *(Hint: Write a dialog.)*

> dejar la propina   la cuenta   el taco   la servilleta
>
> el pescado   la torta   la carne de res

modelo: Mesero: Buenas noches. ¿Qué desean comer?

_____

_____

_____

_____

Unidad 2 Etapa 3

Actividades para todos VOCABULARIO

B

VOCABULARIO

ACTIVIDAD 1 ¿Qué le falta?

Escribe el vocabulario que falta. Usa los dibujos como pistas. *(Hint: Tell what's needed.)*

1. No puedo comer mi pollo porque me faltan _____.

2. El pescado no tiene mucho sabor. Necesita _____ y _____.

3. Mi hermano no tiene _____, entonces no puede hacer el pan.

4. Hago una ensalada de frutas. Tengo peras, pero necesito _____ y _____.

5. Prefiero comer hamburguesas con _____ fritas.

ACTIVIDAD 2 ¿Qué haces allí?

Escribe tres cosas que te interesaría hacer en los siguientes lugares. *(Hint: Suggest activities.)*

Broadway en Nueva York

1. _____

2. _____

3. _____

Hollywood, California

1. _____

2. _____

3. _____

ACTIVIDAD 3 Una crítica de la escena

Escoge una película, una obra de teatro o un programa de televisión y escribe por qué te gustó o por qué no te gustó. *(Hint: Write a review.)*

_____

_____

GRAMÁTICA A

ACTIVIDAD 1 En la ciudad

Subraya las palabras correctas. (*Hint: Underline the correct words.*)

1. A mí (me/te) (encantan/encanta) las obras de teatro.

2. A mis padres (le/les) (gusta/gustan) comer carne de res.

3. A nosotros (les/nos) (fascina/fascinan) el arte de Frida Kahlo.

4. A Juan (le/te) (falta/faltan) el dinero para la propina.

5. ¿A ti (te/le) (interesan/interesa) los musicales de Andrew Lloyd Webber?

ACTIVIDAD 2 ¿Sacaste la basura?

Tu madre quiere saber lo que hiciste. Contesta sus preguntas. Sigue el modelo. (*Hint: Answer the questions.*)

modelo: ¿Le serviste la cena a papá? <u>Sí, (No, no) se la serví.</u>

1. ¿Lavaste los platos esta mañana? _____

2. ¿Le escribiste una carta a tu abuelo anoche? _____

3. ¿Le diste un abrazo a tu hermanita? _____

4. ¿Viste a los cantantes ayer en la plaza? _____

ACTIVIDAD 3 ¿Qué te interesa?

Escoge tres de los siguientes verbos y escribe una oración con cada uno. (*Hint: Choose three verbs and use each in a sentence.*)

encantar	fascinar	faltar
importar	molestar	interesar

modelo: <u>Alexi Yagudin me fascina porque patina muy bien.</u>

_____

_____

_____

Actividades para todos
GRAMÁTICA

Unidad 2
Etapa 3

A

GRAMÁTICA

 ¿Qué dices?

Forma oraciones con las siguientes palabras. (*Hint: Unscramble the sentences.*)

1. ¿traer/la cuenta/me? _____

2. las salchichas/la mesera/sirvió/nos _____

3. ¡el flan/encanta/nos! _____

4. una buena propina/Juan/doy/a/le _____

2 Diego el capitán

Completa las respuestas de Amelia. Sigue el modelo. (*Hint: Complete the dialog.*)

modelo: Nosotros queremos el helado. ¿<u>Nos</u> lo pasas, por favor?

Diego: ¿Me traes el video, por favor?

Amelia: Sí, _____ lo traigo en seguida.

Diego: Yo quería una manzana del supermercado.

Amelia: _____ la compré. Aquí está.

Diego: Todavía tenemos hambre. ¿Nos haces un flan?

Amelia: No, no _____ lo hago. Quiero ver la película.

Diego: Una cosita más. A mí no me gusta esa película. ¿Puedes regresar y comprar algo diferente para nosotros?

Amelia: ¡No! ¡No _____ compro nada a ustedes! ¡Me voy!

3 ¡Me encanta!

Escribe sobre un(a) cantante, actor, actriz o comediante. Usa expresiones como **(no) me gusta, me molesta,** y **(no) me interesa** para explicar tu opinión. (*Hint: Write about a celebrity.*)

modelo: <u>Leonardo Di Caprio no me interesa porque...</u>

_____

_____

_____

_____

GRAMÁTICA

 1 Te lo di

Sigue el modelo para escribir una nueva oración. *(Hint: Write a new sentence.)*

modelo: Le das el dinero al mesero. <u>Se lo das al mesero.</u>

1. James te dio un libro de ciencia ficción ayer. _____

2. ¡Me ofrecieron el papel en la película! _____

3. Amelia no le trajo la comida a Diego. _____

4. Mi papá me sirvió una sopa deliciosa. _____

2 Me molestan los musicales

Escribe sobre tres cosas que te gusta hacer en la ciudad y tres cosas que no te gusta hacer. Usa algunos de estos verbos: **fascinar, gustar, encantar, interesar, molestar.** *(Hint: Write about likes and dislikes.)*

_____

_____

_____

_____

_____

_____

3 Haz tu propio diálogo

Tu hermano(a) quiere tu ayuda. Escribe un diálogo. Usa pronombres y doble pronombres. Sigue el modelo. *(Hint: Write a dialog.)*

modelo: <u>Mi hermano: ¿Quieres ir a la taquería a comprarme unas fajitas?</u>
<u>Yo: No, no quiero comprártelas. Estoy cansada.</u>

_____

_____

_____

_____

Unidad 2
Etapa 3

Actividades para todos
GRAMÁTICA

C

LECTURA A

··

	Taquería Pico de Gallo	
2	sopa azteca	24 pesos
1	sopa de verduras	14
2	frijoles	8
1	papas	5
1	papas fritas	5
1	burrito de carne de res	34
1	taco de pescado	30
1	pollo asado	34
1	tamales de mole	30
3	flan	54
1	helado	18
2	café	16
1	limonada	9
1	jugo de naranja	9
	TOTAL	290 pesos

290 * .10 = 29

¿Comprendiste?

1. ¿Cuánto cuesta el taco de pescado? _____

2. ¿Qué comida de la lista puedes comer sin cubiertos? _____

3. ¿Cuáles son las verduras? _____

4. ¿Cuántas personas pidieron sopa? _____

5. ¿Cuánto dieron de propina? _____

¿Qué piensas?

1. ¿Cuántas personas crees que comieron? ¿Por qué? _____

_____

2. Para ti, ¿qué determina cuánto dejas de propina? _____

_____

LECTURA

¡Un festival para toda la familia!

Venga a celebrar con su familia. Disfrute de
música de mariachi
artesanías
danzas folklóricas
las marionetas presentando a **Don Quijote**
y comida, comida, comida
¡No importa cuál sea su gusto, lo va a encontrar
en Coyoacán!
Presentamos la riqueza[1] de nuestra cultura mexicana.

GRATIS[2]
Colonia[3] del Carmen
Plaza Hidalgo
**Domingo, 2 de julio, de 10 de la mañana
a 6 de la tarde**

[1] richness   [2] free   [3] zone

¿Comprendiste?

1. ¿Para quién es el festival? _____

2. ¿Dónde y cuándo es el festival? _____

_____

3. ¿Quiénes van a presentar la obra de teatro? _____

_____

4. Completa esta oración: El festival es una celebración de _____ .

¿Qué piensas?

1. ¿Te gustaría ir a un festival como ése? ¿Por qué? _____

_____

2. ¿Qué comidas crees que van a servir? _____

_____

Unidad 2 Etapa 3

Actividades para todos LECTURA

B

LECTURA C

La crítica

Elena:	¡Qué película! Creo que es la mejor del año.
Rita:	¿De veras? ¿Te gustó?
Benjamín:	A mí me encantó. Me gustan las películas románticas.
Rita:	*(incrédula)* ¿Tú también?
Elena:	Bueno, Rita, ¿qué piensas tú?
Rita:	Pienso que fue la película más aburrida del mundo. No fue romántica, fue cómica. Y los actores…
Benjamín:	*(interrumpiendo)* Pero, Rita, ¿no te interesa ese desastre que es parte de nuestra historia?
Rita:	Me molestaba el papel del héroe, especialmente la escena en la cual se murió. Nadie muere así[1].
Elena:	¡Esa escena fue tan triste! Y me encantaron las aventuras que tenían los novios durante sus últimas horas…
Rita:	*(interrumpiendo)* Fue una película de horror.
Benjamín:	Ay, Rita, el amor no te importa. Te falta la capacidad para sentir la tristeza.
Rita:	¡Caramba, Benjamín! Lo que me falta es el dinero. Lo gasté[2] todo cuando compré el boleto.

[1]like that   [2]spent

¿Comprendiste?

1. ¿Por qué a Elena y a Benjamín les gustó la película? _____

2. ¿Por qué a Rita no le gustó? _____

3. ¿Qué sabemos del tema de la película? _____

4. Completa esta oración: Este diálogo es una escena de una _____.

¿Qué piensas?

1. En tu opinión, ¿qué tipo de persona es Rita? ¿Benjamín? ¿Elena? _____

_____

2. ¿Cuál de los personajes te gustó más? ¿Por qué? _____

Unidad 2
Etapa 3
Actividades para todos
LECTURA
C

Comida escondida

Usa las pistas para formar palabras. Luego usa las letras rodeadas con círculos para descubrir una palabra más. *(Hint: Figure out the words. Then use the circled letters to make a new word.)*

1. Una verdura anaranjada. Bugs Bunny las come todo el tiempo. S A O R H A A Z N I

___ ___ ___ ___ (___) ___ ___ ___ ___

2. Lo usas sobre una mesa. Puedes comprarlos en muchos colores y diseños.
L A M E T N

___ (___) ___ ___ ___ ___

3. Una comida que viene del mar o de los ríos. S A C D E P O

___ (___) ___ ___ ___ ___

4. Cuando pones la mesa, necesitas éstos. B O R S T U C I E

___ ___ ___ ___ ___ ___ (___) ___ ___

5. Una fruta muy popular. Hay rojas, verdes y amarillas. Es un regalito tradicional
para el maestro o la maestra. A A A N M Z

(___) ___ ___ ___ ___ ___

6. La usas para limpiarte la boca después de comer y para proteger la
ropa. L A S E L V I R T E

___ ___ ___ ___ ___ ___ ___ (___) ___

7. Un ingrediente típico de muchas salsas, espaguetis y pizzas. También es un
ingrediente popular para ensaladas.

___ ___ ___ ___ ___ ___

Copyright © McDougal Littell Inc. All rights reserved.

¡En español! Level 2

Nombre _____ Clase _____ Fecha _____

VOCABULARIO

 1 ¿Estás en forma?

Escribe si los hábitos de estas personas son saludables. Usa **Sí** o **No.** *(Hint: Write if the following habits are healthy or not.)*

1. Tengo una dieta balanceada y hago ejercicios todos los días. _____

2. Trabajo diez horas al día y tengo mucho estrés. _____

3. Me mantengo sana con una dieta nutritiva y nado todos los días. _____

4. No tengo mucha energía y casi nunca puedo relajarme. _____

2 Mis consejos para empezar el día

Subraya la palabra que mejor complete la oración. *(Hint: Underline the word that best completes the sentence.)*

Primero, (levántese / acuéstese) a las seis de la mañana. Es una buena hora para (crecer / sudar); puede hacer ejercicio antes de comer. Después de comer un desayuno nutritivo de jugo, cereal y fruta, le aconsejo (sentarse / bañarse) con jabón y champú. No olvide (afeitarse / lavarse) los dientes con un cepillo de dientes suave.

 3 ¿Vas a levantarte temprano?

Imagínate que contestas las siguientes preguntas en un día del fin de semana. *(Hint: Answer the questions.)*

modelo: ¿Vas a levantarte temprano? <u>Sí, (No, no) voy a levantarme temprano.</u>

1. ¿Vas a ducharte en la mañana? _____

2. ¿Vas a hacer ejercicios aeróbicos? _____

3. ¿Vas a comer un almuerzo saludable? _____

4. ¿Vas a entrenarte para algo? _____

Nombre _____ Clase _____ Fecha _____

VOCABULARIO

1 La tienda de Darío

Darío quiere venderle a Liliana algunos productos de belleza o higiene personal. Usa los dibujos como pistas para completar las oraciones. *(Hint: Complete the sentences.)*

Esta _____ es el mejor producto para usar después de afeitarse.

Y a usted, para mantener el pelo bonito, le recomiendo un _____ para

pelo lacio. Además, el _____ que tenemos es muy barato. Antes de

usarlo, lávese con nuestro _____ .

2 Haz tus propias oraciones

Escribe tres oraciones, combinando frases de la primera lista con frases de la segunda y la tercera lista. *(Hint: Write three sentences, combining phrases.)*

Si quiere mantenerse sano	**le aconsejo**	**entrenarse mucho.**
A los atletas	**necesitan**	**comer muchas frutas**
Para controlar su estrés	**les importa**	**y verduras.**
		relajarse con un libro o
		con música.

_____

_____

_____

3 Entréneme

Eres una maestra de educación de la salud. Aconséjale a la clase la mejor manera de mantenerse sano usando las siguientes palabras: **alimentos, energía, dieta, saludables.** *(Hint: Give advice about a healthy lifestyle.)*

   modelo: Para tener energía, es importante comer alimentos nutritivos…

_____

_____

VOCABULARIO C

ACTIVIDAD 1 La higiene personal

Completa las oraciones usando las palabras ilustradas. *(Hint: Complete the sentences.)*

1. Para lavarme los dientes, uso el _____ y la _____.

2. Después de afeitarse, mi papá usa una _____.

3. Cuando me ducho, siempre uso champú para pelo _____.

4. Antes de hacer ejercicios aeróbicos, uso _____ porque sudo mucho.

ACTIVIDAD 2 ¿Qué es lo opuesto?

Escribe lo opuesto de las palabras indicadas. *(Hint: Give the opposite.)*

1. Jorge va a **ponerse la ropa**. _____

2. Tengo que **acostarme** a las ocho. _____

3. Me encanta el pelo **rizado**. _____

4. Es un hombre **enfermo**. _____

ACTIVIDAD 3 Siempre, de vez en cuando y nunca

Escribe dos cosas que *siempre* haces para mantenerte sano(a), dos cosas que haces *de vez en cuando* y dos cosas que *nunca* haces. *(Hint: Write about staying healthy.)*

modelo: Siempre como un desayuno de cereal y fruta, y me relajo con música.
De vez en cuando…

_____

_____

_____

_____

GRAMÁTICA A

ACTIVIDAD 1 ¡No lo hacemos!

Responde a los mandatos. *(Hint: Reply to the commands.)*

> **modelo:** ¡Limpien la cocina!
> ¡No <u>la limpiamos</u>!

1. ¡Coman frutas! ¡No _____!

2. ¡Digan la verdad! ¡No _____!

3. ¡Pónganse los aretes! ¡No _____!

4. ¡Practiquen el atletismo! ¡No _____!

ACTIVIDAD 2 Para mantenerse sano(a)

Usa las siguientes palabras para completar las oraciones: **haga, sepa, vayan, coma.**
(Hint: Complete the list.)

¿Quiere mantenerse sano(a)? Entonces…

1. _____ usted y un amigo al gimnasio tres veces por semana.

2. _____ una lista de los alimentos nutritivos para su dieta diaria.

3. _____ las calorías de las comidas que come usted.

4. Por fin, _____ alimentos nutritivos.

ACTIVIDAD 3 Consejos

Sugiere cuatro cosas que debe (o no debe) hacer tu amigo para mantenerse en forma.
(Hint: Give advice about staying in shape.)

> **modelo:** comer <u>Coma una dieta con muchas frutas y verduras.</u>

1. caminar _____

2. beber _____

3. dormir _____

4. hacer _____

GRAMÁTICA B

ACTIVIDAD 1 Afirmativos y negativos

Da el mandato opuesto para cada uno de los siguientes. *(Hint: Give the opposite command.)*

1. ¡Háganlo! _____

2. ¡Quítese la ropa! _____

3. ¡No se arreglen! _____

4. ¡Levántense! _____

5. ¡No se estire! _____

ACTIVIDAD 2 ¡Lávese!

Cambia las siguientes declaraciones a mandatos con la forma de **usted** o **ustedes**. *(Hint: Change the statements to commands.)*

1. Se bañan. _____

2. Se peina. _____

3. Se levantan. _____

4. Se relaja. _____

ACTIVIDAD 3 Para empezar un día saludable

Diles a las personas la mejor manera de empezar un día saludable. *(Hint: Tell people how to start a healthy day.)*

modelo: Primero, despiértense temprano y estírense…

_____

_____

_____

_____

_____

_____

_____

_____

GRAMÁTICA  C

ACTIVIDAD 1 ¡No se peine!

Escribe mandatos formales de acuerdo a los dibujos. *(Hint: Use the pictures to create commands.)*

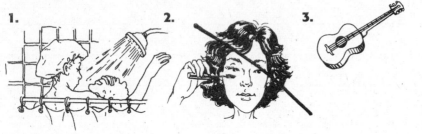

1. _____ 2. _____ 3. _____ 4. _____

ACTIVIDAD 2 La rutina diaria

Dale sugerencias a una señora sobre cómo usar estos objetos en una rutina diaria. *(Hint: Give suggestions for a daily routine.)*

modelo: jabón <u>Báñese con agua y jabón.</u>

1. pasta de dientes _____

2. champú _____

3. secador de pelo _____

4. perfume _____

ACTIVIDAD 3 Querido Julio

Escribes una columna de consejos y acabas de recibir cartas de personas con los siguientes problemas. Contesta las cartas con tus sugerencias. *(Hint: Answer the letters.)*

modelo: Rosa: no tiene tiempo para entrenarse después de trabajar
    <u>Querida Rosa, levántese temprano y haga ejercicio antes de salir…</u>

1. Julio: está cansado todo el tiempo _____

_____

2. Cecilia: no puede relajarse _____

_____

3. Linda y Milagros: no les gusta su pelo lacio _____

_____

LECTURA A

El horario de Yolanda

AGOSTO

○ **DOMINGO**
1
Relajarme con un baño
Entrenarme (caminar) 30 minutos

○ **LUNES**
2
Empezar mi dieta
Hacer ejercicios (aeróbicos) 40 minutos

○ **MARTES**
3
Ir de compras
Lista: manzanas, frijoles, pan, leche,
cereal, jabón, champú, maquillaje

○ **MIÉRCOLES**
4
Comprar un nuevo secador de pelo
Arreglarme para ir al teatro con Keith
a las seis

JUEVES
5
Jugar al tenis 50 minutos
Estirarme 20 minutos
Hacer una cena saludable para tía Luz

¿Comprendiste?

1. ¿Qué va a hacer Yolanda el martes? _____

2. ¿Por qué va a arreglarse el miércoles? _____

3. ¿Cuándo y cómo se relaja Yolanda? _____

4. ¿Cómo va a mantenerse sana Yolanda? _____

5. ¿Qué deporte va a jugar Yolanda el jueves?_____

¿Qué piensas?

1. ¿Por qué Yolanda va a comprar jabón y champú el martes?_____

_____

2. En tu opinión, ¿se mantiene sana Yolanda? ¿Por qué?_____

_____

Nombre _____ Clase _____ Fecha _____

LECTURA

Los preparativos para la entrevista

El día antes:
- ¿Por qué quiere este trabajo? Haga una lista de razones.
- Prepare tres preguntas sobre el trabajo.
- Acuéstese temprano.

El día de la entrevista:
- No se despierte tarde. Necesita tiempo para arreglarse sin estrés.
- Póngase ropa limpia y no use demasiada loción o perfume.
- Coma un desayuno nutritivo y cepíllese los dientes con cuidado.
- Antes de salir, relájese con música.
- Al llegar a la entrevista, sonría mucho.

¿Comprendiste?

1. ¿Qué tienes que hacer la noche antes de la entrevista? _____

_____

2. ¿Qué puede causar estrés? _____

_____

3. ¿Qué cosas no debes usar demasiado? _____

_____

4. ¿Qué puedes hacer para relajarte antes de salir? _____

_____

¿Qué piensas?

1. En tu opinión, ¿cuál de los consejos es el más importante? ¿Por qué? _____

_____

2. Escribe un consejo más para la lista de arriba. _____

_____

Nombre _____ Clase _____ Fecha _____

LECTURA C

Juegos

A. Es una pasta pero no la coma. Póngala encima de esta cosa:

B. Lo usas en el baño pero champú no es.

Es para lavarse el cuerpo y rima con

C. Es para la cara pero no es maquillaje.

Los hombres lo usan después de

¿Comprendiste?

1. Escribe las palabras para los dibujos.

A. _____

B. _____

C. _____

2. Escribe las respuestas de los juegos.

A. _____

B. _____

C. _____

¿Qué piensas?

1. ¿Piensas que los juegos son difíciles? ¿Por qué? _____

2. En tu opinión, ¿cuáles son las cosas más importantes para arreglarte todos los días?

_____

3. ¿Qué haces tú después de levantarte? _____

_____

Nombre _____ Clase _____ Fecha _____

Mensaje secreto

Pon las letras en orden para formar palabras. Luego, usa las letras rodeadas con círculos para descubrir el mensaje secreto. ¿Qué te dice sobre uno de los tesoros de Puerto Rico? *(Hint: Decode the words to find the secret message.)*

1. Alimentos como frutas y verduras son ( )¹ __ __ __ __ __ __ __ __ .

   RIONTUSIVT

2. Al ayudar a tus amigos, lo que haces es __ __ __ __ __ __ __ ( )² __ .

   CAAEOJSRN

3. Un día lleno de muchas actividades y trabajo es un día con mucho

   __ __ ( )³ __ __ __ . SRÉETS

4. ¡Maquíllese con un buen __ __ __ ( )⁴ __ __ __ __ __ !

   QLLEMAJIAU

5. En el primer año de su vida, un bebé __ ( )⁵ __ __ __ mucho.

   ECREC

6. La __ __ __ ( )⁶ de dientes que prefiero es Bellaboca.

   ASPTA

7. ¡( )⁷ __ __ __ __ __ __ ahora! Tenemos que ir a la escuela.

   ÁSLVENE

8. Voy a acostarme. No tengo nada de __ __ ( )⁸ __ __ __ __ .

   ÍEGNERA

9. Lo opuesto de lacio es __ __ ( )⁹ __ __ __ .

   DROIZA

10. Si quieres mantenerte sano, tienes que participar en el

   ( )¹⁰ __ __ __ __ __ __ __ __ MOSETILAT

Mensaje secreto

__ __ __ __ __ __ __ __ __ __
1   2   3   4   5   6   7   8   9   10

VOCABULARIO

1 Cuando vas a la playa

Escoge del siguiente vocabulario la palabra o frase apropiada: **loción protectora, sandalias, sombrilla de playa, neverita, toalla.** *(Hint: Choose the correct word or phrase.)*

1. Cuando vas a la playa, usa estas dos cosas para proteger la piel. _____

_____

2. Te quitas éstas cuando vas a nadar. _____

3. Es lo que usas para secarte después de jugar en el mar. _____

_____

4. Si tienes sed, saca agua de coco de aquí. _____

_____

2 La hermana mayor

A la hermana mayor de David no le gustan los quehaceres. ¿Qué le dice a David? *(Hint: Underline the word that best completes each sentence.)*

David, la cocina está sucia. (Plancha / Lava) los platos inmediatamente. El baño está

sucio también. (Quítalo / Límpialo) ahora mismo. Luego, (saca / pasa) la basura.

Espérate. Antes de hacer eso, (saca / barre) el piso de la cocina. ¿Qué dijiste? ¿Ya

hiciste todo? Entonces, mira enfrente de la casa. Desafortunadamente, vas a tener que

(crecer / cortar) el césped. Bueno, estoy cansada. No me molestes, me voy a acostar.

3 Una escena de verano

Haz un dibujo de una escena en la playa. Incluye tres de las siguientes cosas. *(Hint: Draw beach items and label them.)*

palma   loción protectora   arena   caracoles   olas   bote

VOCABULARIO B

ACTIVIDAD 1 Un rompecabezas

Mira la primera columna y después termina la segunda, seleccionando de las siguientes posibilidades: **arena, pescador, palmar, sandalias.** *(Hint: Complete the analogies.)*

1. casa: pueblo   palma: _____

2. océano: agua   playa: _____

3. cuerpo: ropa   pies: _____

4. clase: maestra   bote: _____

ACTIVIDAD 2 Muchos quehaceres

Mira los dibujos y completa las oraciones. *(Hint: Complete the sentences.)*

1. Acabo de cortar el _____.

2. Ya lavé los _____.

3. Acabo de pasar la _____.

4. Ya barrí el _____.

ACTIVIDAD 3 En la playa

Escribe sobre lo que vas a llevar a la playa y por qué. *(Hint: Write what you're taking to the beach, and why.)*

modelo: <u>Llevo mis sandalias porque la arena en la playa está caliente...</u>

1. _____

2. _____

3. _____

¡En español! Level 2

VOCABULARIO

ACTIVIDAD 1 ¿Qué es?

Contesta las adivinanzas. *(Hint: Answer the riddles.)*

1. Es algo que se usa para llevar bebidas y sándwiches. _____

2. Es algo en una botella para protegerse del sol. _____

3. Es un tipo de bebida que viene de un árbol. _____

4. Es el lugar donde el agua y la arena se encuentran. _____

ACTIVIDAD 2 Los quehaceres

Mira las ilustraciones y escribe lo que Ling debe hacer inmediatamente, lo que está haciendo ahora y lo que ya hizo. Usa oraciones completas. *(Hint: Write what Ling has to do, what she is doing, and what she already did.)*

1. _____

2. _____

3. _____

ACTIVIDAD 3 ¿Qué ves?

Mira la escena de la playa y descríbela. Usa vocabulario de esta etapa. *(Hint: Describe the beach scene.)*

_____

_____

_____

_____

GRAMÁTICA

ACTIVIDAD 1 Vamos al teatro

Morgan le dice a su mejor amigo lo que tiene que hacer para prepararse para ir al teatro. Subraya la palabra que mejor complete cada oración. *(Hint: Underline the best word.)*

1. (Plancha / Planche) la camisa que vas a usar. Es un teatro muy elegante.

2. Para ir al teatro, (sal / sale) de la casa a las ocho.

3. Tienes los boletos, ¿no? (Tráelos / Tráiganlos) contigo.

4. (Viene / Ven) a mi casa después de la obra de teatro para una merienda.

ACTIVIDAD 2 Hazlo o no lo hagas

Completa las oraciones con los siguientes mandatos: **habla, pongas, vayas, plánchalo, bárrelo, cortes.** *(Hint: Complete the sentences.)*

1. No _____ a tu casa. _____ con tu mamá por teléfono.

2. No te _____ el vestido azul. Ponte el vestido rojo, pero

_____ primero.

3. ¡El piso está tan sucio! ¡_____! No_____ el césped hasta el fin de semana.

ACTIVIDAD 3 Los «mentes»

Describe tus actividades, usando el adverbio de la palabra en paréntesis. *(Hint: Use adverbs to describe activities.)*

> **modelo:** hacer la limpieza (frecuente)
> <u>Hago la limpieza frecuentemente.</u>

1. nadar en el mar (fácil) _____

2. hacer la limpieza (rápido)_____

3. preparar la cena (lento) _____

4. bañarme (tranquilo) _____

¡En español! Level 2

GRAMÁTICA B

··

ACTIVIDAD 1 El papá de Esteban

Esteban escucha las mismas órdenes de su papá casi todos los días. Completa cada una escribiendo la forma del mandato del verbo indicado. *(Hint: Write sentences with commands.)*

> **modelo:** No (ser) malo. <u>No seas malo.</u>

1. No (decir) mentiras. _____

2. (Poner) la mesa antes de descansar. _____

3. No (ir) al parque antes de hacer la tarea. _____

4. (Tener) paciencia con tu hermanita. _____

ACTIVIDAD 2 ¡No me digas!

Dile a tu amigo que no debe hacer estas actividades. *(Hint: Tell your friend not to do these activities.)*

1. _____   **3.** _____

2. _____   **4.** _____

ACTIVIDAD 3 ¿Acabas de hacerlo?

Escribe si la persona acaba de hacer la actividad, o dile que debe hacerla. *(Hint: Write if the person just did the activity or tell the person to do it.)*

> **modelo:** tu hermano / limpiar el cuarto (no) <u>¡Límpialo!</u>
> tu hermano / limpiar el cuarto (sí) <u>Acaba de limpiarlo.</u>

1. tu prima / quitar el polvo (no) _____

2. Sebastián / preparar la cena (sí) _____

3. Raúl / cortar el césped (sí) _____

4. tu hermana / hacer los quehaceres (no) _____

GRAMÁTICA C

ACTIVIDAD 1 Consejos

Dile a tu mejor amigo lo que tú crees que él debe hacer para aprender más en la escuela. Usa formas de los siguientes verbos. *(Hint: Give advice about study habits.)*

> sentarse   hacer   comer
>   despertarse   bañarse   limpiar

No _____ tarde. Levántate a las seis todos los días y _____

un desayuno saludable. Cuando haces tu tarea, no la _____ en un cuarto

sucio. _____ tu cuarto primero y _____ en el mismo lugar

todas las noches. Si tienes mucho estrés, _____ antes de acostarte.

ACTIVIDAD 2 ¿Qué acabas de hacer?

Escribe actividades o quehaceres que las siguientes personas acaban de hacer. *(Hint: Write what the following people just did.)*

1. Yo _____.

2. Mis compañeros de clase _____.

3. Mi maestro(a) _____.

4. Mi amigo, Max, _____.

ACTIVIDAD 3 Mi amigo en la playa

Mira la escena de la playa y dile a tu amigo lo que debe y no debe hacer con base en el dibujo. *(Hint: Based on the picture, tell your friend what he should or should not do.)*

_____

_____

_____

_____

¡En español! Level 2

LECTURA

¡Tenemos todo lo necesario para el verano!

Toallas de playa grandes en todos los colores

Sombrillas de playa y trajes de baño fabulosos

Sandalias baratas y bonitas

Vender barato es nuestro ÉXITO

ALMACENES ÉXITO
Carretera Ponce de León • Ponce, Puerto Rico

¿Comprendiste?

1. ¿Lleva la mamá una sombrilla para protegerse de la lluvia? _____

2. ¿Son caras las sandalias? _____

3. ¿Cuál es la dirección de los ALMACENES ÉXITO? _____

4. ¿A quién le interesan las olas? _____

5. ¿Quién va a llevar las bebidas? _____

¿Qué piensas?

1. ¿Qué significa la palabra **éxito**? _____

2. ¿Qué más necesitan estas personas para protegerse del sol en la playa? _____

_____

LECTURA B

Eva, Juan, los quehaceres y mamá

Mamá: ¿Adónde van ustedes?

Eva: A la playa, como todos los sábados.

Mamá: No, señorita. Tienes que pasar la aspiradora antes de salir para la playa.

Eva: Yo lo hago todo el tiempo. Juan tiene que hacerlo.

Mamá: Juan tiene que cortar el césped.

Juan: Lo voy a hacer mañana.

Mamá: Mañana no. ¡Ahora!

Eva: Pero eso es tan fácil. Yo puedo cortarlo en veinte minutos.

Juan: Entonces, hazlo ahora, Eva, y yo paso la aspiradora.

Eva: Perfecto. ¡A comenzar!

Mamá: Mientras hacen sus quehaceres, voy a mirar en sus cuartos a ver qué tan[1] limpios están.

Juan: ¡No, no!

Eva: Juan, creo que no vamos a la playa hoy.

Mamá: Eva, no eres limpia, pero eres muy inteligente.

_____

[1]how

¿Comprendiste?

1. ¿Quién pasa la aspiradora normalmente? _____

2. ¿Qué dice Eva que puede hacer fácilmente? _____

3. ¿Adónde van Eva y Juan frecuentemente?_____

4. ¿Por qué cree Eva que no van a ir a la playa hoy? _____

¿Qué piensas?

1. ¿Piensas que Eva y Juan tienen demasiados quehaceres? _____

2. En tu opinión, ¿cuál de los quehaceres es el más difícil?_____

LECTURA C

¿Quién va a hacer los quehaceres?

El jueves, 22 de julio de 1999, fue un día diferente en la Ciudad de México porque muchas mujeres no hicieron sus quehaceres. Fue una «huelga[1] doméstica» organizada por[2] una agencia que se llama El Colectivo Atabal.

Tradicionalmente las mujeres en México son las que hacen la mayoría de los quehaceres domésticos —preparan la comida, planchan la ropa y hacen las camas. Pero recientemente, las mujeres trabajan fuera de casa. Sus familias tienen que ayudar más. La idea de la huelga es demostrar el valor[3] de los quehaceres. La coordinadora del proyecto, Gabriela Delgado, quiere mostrar que las mujeres son muy trabajadoras y que necesitan el respeto y la ayuda de sus familias. El Colectivo piensa que se puede marcar la diferencia con este día simbólico.

[1] strike   [2] organized by   [3] value

¿Comprendiste?

1. Tradicionalmente, ¿quién hace los quehaceres en México? _____
_____

2. ¿Qué hicieron las mujeres en la Ciudad de México el 22 de julio de 1999?
_____

3. ¿Por qué organizó El Colectivo Atabal una «huelga doméstica»? _____
_____

4. ¿Por qué es más difícil la vida ahora que antes para las mexicanas? _____
_____

¿Qué piensas?

1. En tu opinión, ¿cuál es la mejor manera de dividir los quehaceres? _____
_____

2. ¿Qué quehaceres haces? ¿Piensas que haces demasiado o no haces lo suficiente

para ayudar a tu familia? ¿Por qué? _____
_____

¡Encuentra las palabras!

Completa las oraciones y marca con un círculo las respuestas en la siguiente actividad.

1. Si no te proteges la piel del sol, te vas a _____ .

2. Para secarte bien después de nadar, trae una _____ grande.

3. Si quieren ir a la isla, tenemos que ir en _____ .

4. Cuando voy a la playa, me encanta buscar _____ en la arena.

5. Debes llevar sandalias. No quieres _____ en los zapatos.

6. No olvides las _____ porque la arena te puede quemar los pies.

7. Creo que el hombre con todos los pescados es un _____ .

8. Ponte el _____ de baño antes de tomar el sol.

9. Si no tienes loción protectora, usa mi _____ de playa.

10. Hace mucho viento. Las _____ van a ser muy grandes hoy.

Unidad 3 Etapa 2

Actividades para todos
ROMPECABEZAS

L	Q	U	E	M	A	R	D	N	V	E
T	G	U	I	A	L	O	P	S	U	S
R	F	F	T	L	M	P	E	O	D	C
A	Ó	B	O	T	E	I	S	M	S	T
J	G	G	A	B	R	H	C	B	R	D
E	U	O	L	A	S	O	A	R	L	O
É	T	E	L	R	É	A	D	I	T	R
S	I	C	A	R	A	C	O	L	E	S
A	P	S	S	Ó	L	É	R	L	S	E
D	O	I	D	A	R	E	N	A	Í	A
O	A	V	I	V	I	M	O	X	T	C
S	A	N	D	A	L	I	A	S	I	U

VOCABULARIO A

 ACTIVIDAD 1 ¿Cierto o falso?

Si la oración es cierta, marca con círculo la **C.** Si la oración es falsa, marca con un círculo la **F.** *(Hint: Mark true or false.)*

C   F   **1.** Cuando estás resfriado(a), tienes que ir a la sala de emergencia.

C   F   **2.** El codo es parte del brazo.

C   F   **3.** Los bebés lloran mucho después de recibir una inyección.

C   F   **4.** Necesitas una radiografía cuando te duele la garganta.

 ACTIVIDAD 2 Consejos

Empareja las frases (con rayas) para formar oraciones. Sigue las pistas. *(Hint: Draw a line from the picture to the corresponding phrase.)*

1. Es una lástima que…   le duela la cabeza.

2. Es importante que…   tome las pastillas.

3. Es necesario que…   él pase por la sala de emergencia.

 **ACTIVIDAD 3** ¿Cuándo?

Completa las oraciones para decir cuándo te duele algo. *(Hint: Complete the sentences.)*

cuando grito mucho	cuando tengo una infección
cuando camino en la arena sin sandalias	cuando tengo gripe

1. Me duele la garganta _____.

2. Me duelen los pies_____.

3. Me duele la cabeza _____.

4. Me duelen los oídos _____.

VOCABULARIO B

ACTIVIDAD 1 Anteayer me caí

Ayuda a Carla a describir su visita reciente al hospital. Usa los dibujos como pistas. *(Hint: Write the appropriate word or phrase.)*

Hace dos días que me rompí una pierna. Estaba trepando a los árboles con mi hermanita

cuando me caí. _____ y grité «¡Socorro!» porque me dolía mucho la

pierna. Mi mamá llamó al hospital y pronto vino la _____ . Me

llevó a la _____ . En poco tiempo una _____ me dio

 _____ para el dolor. Ella me dijo, «Es probable que la doctora te ponga un

 _____ . Y eso fue lo que pasó.

ACTIVIDAD 2 Las partes del cuerpo

Escribe dos partes del cuerpo que usas para hacer las siguientes actividades. *(Hint: Write two parts of the body you use to do each activity.)*

1. jugar al fútbol _____
2. ver una película _____
3. tocar la guitarra _____
4. comer en un restaurante _____

ACTIVIDAD 3 Una visita al doctor

Usa tus experiencias o las experiencias de un(a) amigo(a) para describir una visita al doctor o al hospital. *(Hint: Write about a visit to the doctor or a hospital.)*

_____
_____
_____

VOCABULARIO

ACTIVIDAD 1 Accidentes y enfermedades

Usa los dibujos para completar las oraciones. *(Hint: Complete the sentences.)*

1. Cuando me fracturé el tobillo, la doctora me puso un  _____.

2. Cuando tienes gripe y tu cabeza está caliente, tienes   _____.

3. Cuando me rompí el brazo, el doctor me mostró la _____.

4. Cuando estás resfriada y no tomas tu medicina, oigo _____ muy fuerte.

ACTIVIDAD 2 ¿Dónde estás?

Lee las oraciones y di dónde estás. *(Hint: Tell where you are.)*

1. Te duele la rodilla. El doctor va a examinarla. Estás en _____.

2. Es probable que tengas que esperar un rato porque hay personas aquí que tienen

   emergencias más serias. Estás en _____.

3. ¿Estás cómodo? Es importante que no te muevas porque vamos a llegar al hospital

   en cinco minutos. Estás en _____.

ACTIVIDAD 3 La última vez que estuviste enfermo(a)

Escribe un párrafo corto sobre la última vez que estuviste enfermo(a). Describe tus síntomas y lo que hiciste para recuperarte. *(Hint: Write about the last time you were sick.)*

modelo: El mes pasado, yo estaba enfermo con gripe. Me dolían la garganta, los oídos y todo el cuerpo. El doctor me dijo que tenía una infección…

_____

_____

_____

_____

GRAMÁTICA

ACTIVIDAD 1 Me duele, me duele

Subraya la forma correcta de **doler** para completar cada oración. *(Hint: Underline the correct word.)*

1. A mi mamá le (duelen / duele) los dedos.

2. Les (duele / duelen) la garganta.

3. Me (duelen / duele) el hombro derecho.

4. A nosotros nos (duele / duelen) los pies.

ACTIVIDAD 2 La carta

Completa la carta a Li. *(Hint: Underline the correct words.)*

> Querida Li,
>
> Charles me dijo que estás enferma. Es una lástima que no te (sientes / sientas) bien. Es importante que (tomas / tomes) toda tu medicina. Mi mamá siempre me dice que es raro que uno se (recupera / recupere) completamente sin terminar toda la medicina. Una cosa más antes de despedirme: Sé que te gusta hacer ejercicios todos los días, pero no es necesario que los (haces / hagas) ahora.
>
> Un abrazo fuerte,
> Selena

ACTIVIDAD 3 ¡Es ridículo!

Cambia las oraciones que expresan hechos a oraciones que expresan una opinión. Empieza con estas frases: **Es bueno que, Es peligroso que, Es ridículo que, Es lógico que.** *(Hint: Change the statements to opinions.)*

   modelo: Ellos hacen la tarea. <u>Es bueno que ellos hagan la tarea.</u>

1. Ella vive cerca de la escuela. _____

2. Él se come cinco tacos en un minuto. _____

3. Julia habla mucho con su hija. _____

4. Carlton quiere jugar al ajedrez a las dos de la mañana. _____

GRAMÁTICA B

ACTIVIDAD 1 Hace un mes que...

Subraya la palabra que mejor completa la oración. *(Hint: Underline the correct word.)*

1. ¿Cuánto tiempo hace que estudias español? Hace dos meses que (estudio / estudiaron) español.

2. ¿Cuánto tiempo hace que ellos jugaron al béisbol? Hace una semana que ellos (jugaron / jugamos) al béisbol.

3. ¿Cuánto tiempo hace que la conociste? La (conoces / conocí) hace tres días.

4. ¿Cuánto tiempo hace que te duele la garganta? Hace dos horas que me (dolió / duele) la garganta.

ACTIVIDAD 2 ¿Es importante o no?

Escribe oraciones para dar opiniones. *(Hint: Write sentences that express opinions.)*

1. es bueno que / tú / tomar la medicina _____

2. es ridículo que / los estudiantes / comer en clase _____

   _____

3. es malo que / él / siempre llegar tarde _____

4. es triste que / nosotros / tener tarea todos los días _____

   _____

5. es importante que / ustedes / leer el periódico _____

ACTIVIDAD 3 La consulta

Eres doctor(a). Escribe cuatro cosas que tu paciente debe hacer para recuperarse. Usa las expresiones impersonales. *(Hint: Write four things a patient should do to get better.)*

modelo: Es importante que descanses. Es bueno que bebas jugo de naranja…

_____

_____

_____

_____

GRAMÁTICA

 1 ¿Qué les duele?

Mira los dibujos y escribe una oración sobre lo que a estas personas les duele. *(Hint: Write sentences about what hurts.)*

1.  **2.** **3.** **4.**

1. _____

2. _____

3. _____

4. _____

 2 Hace una hora que estudio

Contesta las preguntas. Usa expresiones con **hace ... que.**

1. ¿Cuánto tiempo hace que esperas a la doctora? _____

2. ¿Cuánto tiempo hace que sacaste la basura? _____

3. ¿Cuánto tiempo hace que te duele el diente? _____

4. ¿Cuánto tiempo hace que recibiste una inyección? _____

 3 Es importante que te mantengas sano…

Describe en un párrafo cómo mantenerte sano. Usa expresiones impersonales. *(Hint: Write about how to stay healthy using impersonal expressions.)*

> **modelo:** <u>Para mantenerte sano, es importante que lleves una dieta nutritiva y hagas ejercicio aeróbico…</u>

_____

_____

_____

_____

_____

Unidad 3, Etapa 3

Unidad 3 Etapa 3

Actividades para todos GRAMÁTICA

C

LECTURA A

HOSPITAL ESPERANZA	1° PISO
	ENFERMERA: Adriana Hernández
	jueves 5 de diciembre

HORA	PACIENTE	CUARTO	NOTAS
10:00 a.m.	A. Gómez	102	fiebre 102°F
			dice que la tos está peor
			medicinas ✓ A.H.
11:00 a.m.	H. Washington	105	infección en la rodilla
			inyección de antibióticos ✓ A.H.
			quiere consulta con la doctora
			Chang (dolor de estómago)
11:30 a.m.	C. Feng	123	pastillas ✓ A.H.
			llevar a la sala de radiografía
			dice que la cama no es cómoda
1:00 p.m.	L. Escalante	113	quitar el yeso del brazo ✓ A.H.
			tiene dolor en el hombro

¿Comprendiste?

1. Es la una de la tarde. ¿Cuánto tiempo hace que la enfermera habló con A. Gómez?

¿Cuánto tiempo hace que le puso una inyección a H. Washington? _____

_____

2. ¿Por qué quiere H. Washington una consulta con la doctora? _____

_____

3. La enfermera menciona cuatro partes del cuerpo. ¿Cuáles son? _____

_____

¿Qué piensas?

1. ¿Piensas que los pacientes tienen enfermedades muy serias? Explica. _____

_____

2. Mira el horario y escribe tu opinión: Es importante que _____

_____.

¡En español! Level 2   Unidad 3, Etapa 3
Actividades para todos   99
LECTURA A

LECTURA B

A mi burro a mi burro *(una canción tradicional)*

A mi burro a mi burro le duele la cabeza
El médico[1] le manda una gorrita[2] negra
Una gorrita negra
¡Mueve las patitas[3]!

A mi burro a mi burro le duele la garganta
El médico le manda una bufanda blanca
Una bufanda blanca
Una gorrita negra
¡Mueve las patitas!

A mi burro a mi burro le duele el corazón
El médico le manda gotitas de limón[4]
Gotitas de limón
Una gorrita negra
Una bufanda blanca
¡Mueve las patitas!

¡Mueve las patitas!

[1]doctor   [2]small cap   [3]little feet   [4]little lemon drops

¿Comprendiste?

1. ¿Qué le duele al burro? _____

2. El médico de la canción piensa que el burro necesita tres cosas. ¿Cuáles son?

_____

¿Qué piensas?

1. En tu opinión, ¿van a ayudar la gorrita, la bufanda y las gotitas de limón al burro a

recuperarse? ¿Por qué sí o por qué no? _____

_____

2. ¿Qué piensas que es necesario que haga una persona con dolor de cabeza, dolor de

garganta y dolor en el corazón?_____

_____

¡En español! Level 2

Unidad 3
Etapa 3

Actividades para todos
LECTURA

B

LECTURA C

Enfermedad	Síntomas	¿Qué haces?	Tratamiento[1]
RESFRIADO	• tos • dolor de garganta • estar cansado(a) • no tener hambre	• Llama al doctor si la tos dura[3] más de tres días. • Descansa mucho.	• Medicinas para la tos • Lociones para la nariz seca **DIETA:** continuar con dieta normal; tomar más líquidos (jugos con vitamina C)
GRIPE	• fiebre • dolor de cabeza • dolores en los músculos • tos • escalofríos[2] • estar cansado(a) • náusea	• Llama al doctor si la fiebre es más de 102°F. • Descansa mucho.	• Medicinas (recetadas por el doctor) • No dar aspirina **DIETA:** continuar con dieta normal; más líquidos

[1]treatment   [2]chills   [3]lasts

¿Comprendiste?

1. ¿Cuáles son los dos síntomas que tienen en común el resfriado y la gripe?

_____

2. ¿Qué es importante si estás resfriado(a)? Es importante que _____.

3. ¿Qué es peligroso si alguien tiene gripe? Es peligroso que _____.

4. ¿Qué es necesario si tienes tos por más de tres días? Es necesario que _____.

¿Qué piensas?

1. En tu opinión, ¿qué es lo más importante que debes hacer cuando estás resfriado(a)?

_____

2. ¿Qué piensas que es peor, tener gripe o estar resfriado(a)? ¿Por qué? _____

_____

Crucigrama: Por encima de los hombros

Haz este crucigrama con el vocabulario de esta etapa.

Horizontales

1. La uso cuando juego al fútbol y no es mi pie.
3. Está dentro de mi oreja.
5. Me ayudan a oír y escuchar.
7. Cuando algo me duele mucho, hago eso con mi boca.
9. Es lo opuesto de reírse.

Verticales

2. Hablo, grito y como con eso.
4. Está entre mi cabeza y mis hombros.
6. Contiene la nariz, la boca y los ojos.
8. Si quiero comer, es necesario que yo los use.
10. Cuando tengo gripe, a veces me duele eso.

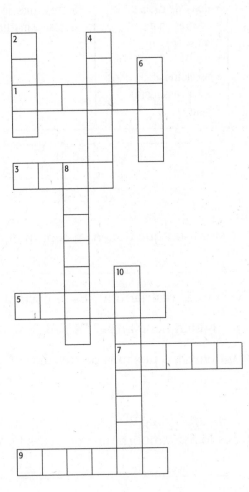

VOCABULARIO

 1 Nosotros, los turistas

Estás de vacaciones y tienes que encontrar lo siguiente en el hotel. Traza una línea del dibujo a la palabra correcta. *(Hint: Connect the drawing to the matching word.)*

servicios

escaleras

llaves

camas

 2 ¿Dónde están mis cosas?

Lee el diálogo y subraya las palabras correctas. *(Hint: Underline the correct words.)*

Tú: ¡No puedo encontrar mi champú!

Mamá: Lo dejaste en (la cocina /el baño), como siempre.

Tú: Y mis pijamas, no están en el suelo, donde las puse.

Mamá: ¡Claro que no! Las puse encima (de la cama /del congelador) en tu habitación.

Tú: ¡Mi jabón especial! No recuerdo la última vez que me lavé con él.

Mamá: Te bañaste con ese jabón hace dos días. Está en la (bañera / lámpara).

Tú: No puedo encontrar mi libro de aventuras.

Mamá: Sugiero que lo busques en la (sala / puerta).

 3 Describe la casa

Dibuja tu casa o la casa de un amigo. Luego descríbela. Usa las siguientes palabras:
ventana, puerta, piso, garaje, pared, jardín. *(Hint: Draw a house and describe it.)*

VOCABULARIO B

1 Mi experiencia como extranjera

Ayuda a Keesha a describir sus primeras experiencias en España. *(Hint: Complete the sentences.)*

| extranjera | hospedarme | pensión | planta baja | reserva |

Hace un año, viajé a Madrid. Fue mi primera experiencia viajando sola. Yo no sabía

cómo se sentía ser _____ en otro país. Antes de salir para España, hice

una _____. Porque soy estudiante y no tengo mucho dinero, quería

_____ en una _____ buena pero barata. Cuando llegué,

fui a mi habitación, que afortunadamente estuvo en la _____, y dormí

por diez horas. El próximo día, la pasé fenomenal.

2 ¿Qué ves?

Mira los dibujos y escribe el nombre del mueble o del electrodoméstico. *(Hint: Name the furniture or appliance.)*

1. _____ **2.** _____ **3.** _____ **4.** _____ **5.** _____

3 Dos habitaciones

Escribe cuatro cosas que se encuentren en una cocina. Después escribe tres cosas que se encuentren en otra habitación. *(Hint: Write what there is in a kitchen and in another room.)*

modelo: Comúnmente, encuentro en una cocina un horno microondas, un refrigerador… En el comedor, hay…

_____

_____

_____

_____

¡En español! Level 2

Nombre _____ Clase _____ Fecha _____

VOCABULARIO C

1 Los consejos de María

Lee sobre los dilemas de los amigos de María y escribe lo que ella aconseja. *(Hint: Complete the sentences.)*

Jesse: Siempre me levanto tarde.

María: Compra un _____.

Helena y Tron: Hace mucho calor en esta casa.

María: Abran la _____.

Anita: No puedo ver mi cara cuando me peino y me pongo el maquillaje.

María: Compra un _____ para el baño.

Andrés: No hay suficiente luz en mi habitación.

María: Compra una _____ para la mesa del lado de tu cama.

Sandra: Se me olvidó mi bolsa y ahora no puedo abrir la puerta.

María: Haz una copia de tus _____ para entrar.

2 Necesitan ayuda

Mira los dibujos. Luego escribe una oración que diga lo que necesitan las personas. *(Hint: What do they need?)*

1.  **2.**  **3.**

_____ _____ _____

3 ¿Cómo es tu habitación?

Estás en una pensión en Madrid. Describe tu habitación. Usa el vocabulario de esta etapa. *(Hint: Describe your room.)*

_____

_____

_____

_____

Nombre _____ Clase _____ Fecha _____

GRAMÁTICA

 Necesito que lo hagas

Subraya la palabra correcta. *(Hint: Underline the correct word.)*

1. Espero que ellos (comen / coman) todas las verduras.

2. Piden que tú (estudies / estudias) todos los días.

3. Mamá desea que yo (leo / lea) mucho.

4. Gabriel quiere que Juan y Vicky se (entrenen / entrenan) para el partido de béisbol.

ACTIVIDAD 2 **Quiero que estén saludables**

Tu entrenador personal tiene muchas sugerencias para ti y tus amigos. Completa sus oraciones con los siguientes verbos: **estés, vayas, vean, sepan.** *(Hint: Choose the verb that best completes each sentence.)*

1. Espero que _____ al gimnasio cuatro veces a la semana.

2. Insisto en que ustedes primero _____ cómo levantar pesas.

3. Ojalá que no _____ resfriado cuando hagas ejercicio. No es saludable.

4. Insisto en que ustedes no _____ la televisión mucho. ¡No pueden hacer ejercicio en una silla!

ACTIVIDAD 3 **Ojalá que funcione**

Escribe oraciones completas. Sigue el modelo. *(Hint: Write complete sentences.)*

modelo: él / querer / calefacción / funcionar bien
<u>Él quiere que la calefacción funcione bien.</u>

1. ella / querer / la habitación / tener una cama cómoda _____

_____

2. ellos / preferir / los servicios / estar en la planta baja _____

_____

3. nosotros / insistir en / la cocina / tener refrigerador _____

_____

4. él / esperar / el aire acondicionado / funcionar _____

_____

¡En español! Level 2

GRAMÁTICA B

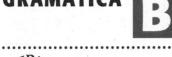
1 Tu hotel

Tienes un hotel en España. Diles a tus empleados lo que quieres que hagan. Usa las formas correctas de los verbos entre paréntesis. *(Hint: Write the correct form of the verb.)*

Hay dos huéspedes que vienen esta noche. Quiero que ellos _____

(tener) las nuevas llaves. El ascensor no funciona, entonces hace falta que ustedes

_____ (usar) las escaleras. Voy a poner los huéspedes que vienen en la

planta baja. Sugiero que ustedes _____ (limpiar) la habitación. Mi última

sugerencia es para los maleteros. Porque solamente tenemos dos huéspedes esta noche,

espero que _____ (saber) sus nombres.

2 Sugiero que compres muebles

Mira el dibujo y sugiérele a tu amigo(a) que venda o compre unos muebles. Empieza tus oraciones con **Sugiero que.** *(Hint: Suggest that your friend buy or sell furniture.)*

1. _____

2. _____

3. _____

3 En España

Escribe cuatro sugerencias para tu amigo(a) que va a viajar a España. *(Hint: Write four suggestions to a friend.)*

> **modelo:** Ojalá que te hospedes en un hotel antiguo.

1. _____

2. _____

3. _____

4. _____

GRAMÁTICA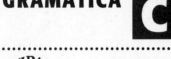

 1 Los quehaceres

Sugiérele a tu hermano que haga los quehaceres que ves en los dibujos. Escribe cuatro
oraciones usando el subjuntivo. *(Hint: Suggest that your brother do the chores shown.)*

 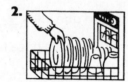 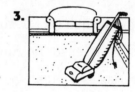 

1. _____

2. _____

3. _____

4. _____

2 Prefiero que...

Estás de vacaciones en Madrid con tu amigo(a). Dile a tu amigo(a) lo que prefieres que
hagan. *(Hint: State your preferences.)*

1. preferir / nosotros / ir / al Prado _____

2. ojalá / tú / estar / listo(a) para divertirse _____

3. sugerir / tú / me dar /el plano del metro _____

4. esperar / haber / un restaurante en el museo _____

3 La reserva

Estás haciendo una reserva para una habitación en un hotel. Descríbele al agente del
hotel la habitación que quieres. *(Hint: Describe your hotel needs.)*

   modelo: Es importante que la habitación tenga aire acondicionado. Es necesario
que haya una cocina con refrigerador también…

_____

_____

_____

_____

LECTURA A

> ### Reglas de la Pensión García
>
> - Dejar la llave en la recepción si va a salir.
> - Decir adónde va.
> - Usar los servicios de su propio[1] piso.
> - Regresar a la pensión antes de las once de la noche.
> - Usar las escaleras, no el ascensor.
> - Las habitaciones son exclusivamente para huéspedes.

[1]your own

¿Comprendiste?

Indica si las oraciones son **C** (ciertas) o **F** (falsas).

C F   **1.** Es necesario que los huéspedes usen las escaleras.

C F   **2.** Los huéspedes pueden regresar a la pensión a las once y media de la noche.

C F   **3.** Es importante que los huéspedes digan adónde van.

C F   **4.** Las habitaciones de la pensión tienen baños privados.

C F   **5.** Los huéspedes tienen que dejar las llaves en sus habitaciones.

¿Qué piensas?

1. En tu opinión, ¿cómo son los huéspedes de la Pensión García? _____

_____

_____

2. ¿Piensas que te gustaría hospedarte en esta pensión? ¿Por qué sí o por qué no?

_____

_____

Unidad 4
Etapa 1

Actividades para todos
LECTURA

B

LECTURA B

Boston, 7 de octubre

Querido señor Ruiz,

   Le escribo para darle las gracias por todo lo que me dio durante el verano. Ojalá que sepa que tiene usted una pensión muy bonita y cómoda. Pero lo más importante fueron las horas que pasamos hablando en el comedor durante las comidas. Me enseñó mucho de Madrid, del arte español y de la bonita cultura de España.

   Espero que haya oportunidad de regresar algún día y pasar más tiempo con usted, practicando mi español y comiendo su paella increíble. Si usted viaja a Estados Unidos, mi mamá quiere que usted se hospede en nuestra casa. Siempre tenemos una habitación para usted.

Muy atentamente,
Carlos (Carl) Jacobs

¿Comprendiste?

1. ¿Quién es el señor Ruiz? _____

2. ¿Cuáles son las tres cosas que le enseñó el señor Ruiz a Carlos?_____

_____

3. ¿Dónde hablaron el señor Ruiz y Carlos? _____

4. ¿Cómo sabes que el señor Ruiz cocina? _____

5. ¿Qué desea la mamá de Carlos? _____

¿Qué piensas?

1. ¿Cuántos años piensas que tiene Carlos? _____

2. ¿Piensas que Carlos va a continuar estudiando el español? ¿Por qué?_____

_____

LECTURA C

HOTEL Y RESTAURANTE
OLÍMPICO

UN LUGAR DE LUJO
DENTRO DEL CAMPO

Habitación sencilla $55
Habitación doble $60 / Habitación triple $65

Incluye desayuno continental atendido personalmente por sus dueños. Aire acondicionado, agua caliente, TV con 40 canales y fax individual en la habitación.

Preciosos jardines y piscina, cocina premiada[1] 5 veces en sus 3 categorías: carnes, aves[2] y pescado. Amplias habitaciones con una atención familiar y personalizada que le harán sentirse como en casa[3].

KM. 8-1/2 CARRETERA SUR • TEL: (505)2-655825 • MANAGUA, NICARAGUA

[1]awarded   [2]poultry   [3]will make you feel at home

¿Comprendiste?

1. ¿Está el Hotel y Restaurante Olímpico en la ciudad?_____

2. ¿Cuánto cuesta la habitación más cara? _____

3. ¿Cuáles son las especialidades del restaurante? _____

4. ¿Qué se incluye en el precio de la habitación? _____

5. ¿Qué lugares para descansar ofrece el hotel para los huéspedes? _____

_____

¿Qué piensas?

1. ¿Para quién es un hotel como éste? _____

2. ¿Sugieres que familias con muchos hijos se hospeden en el Hotel Olímpico?_____

_____

Nombre _____   Clase _____   Fecha _____

Las casas

Hay diez palabras relacionadas con casas en la sopa de letras. Completa las oraciones y marca cada palabra con un círculo. *(Hint: Circle the words.)*

1. Si quiero bañarme, me baño en la _____.

2. Cuando me acuesto, duermo en una _____ cómoda.

3. Está lloviendo. Voy a poner el carro en el _____.

4. ¿Dónde está el _____? Quiero lavarme las manos.

5. La silla de la sala no está buena. Por eso, me siento en el _____.

6. Tengo que ver si tenemos leche. La busco en el _____.

7. ¡Cierra la _____! Estoy poniéndome la ropa.

8. Se fue la luz. Creo que algo pasó con la _____.

9. ¡Miren las flores! Su _____ está tan bonito este verano.

10. ¿Quieres comer pan? Todavía está en el _____.

O	R	R	E	A	A	E	P	R	E	P
L	J	L	I	R	A	N	D	E	V	E
D	A	T	R	E	U	P	R	F	U	S
A	R	F	G	Ñ	M	P	E	R	D	T
D	D	D	E	A	O	J	S	I	S	A
I	Í	G	T	B	A	H	É	G	R	M
C	N	L	R	R	C	O	T	E	L	O
I	T	E	A	R	É	A	N	R	B	S
R	I	G	E	D	L	A	A	A	Ó	D
T	P	S	S	Ó	A	É	V	D	S	E
C	O	I	D	M	Ñ	A	U	O	I	O
E	A	V	A	V	L	H	O	R	N	O
L	C	C	L	N	A	C	O	M	I	U
E	R	U	F	F	S	I	L	L	Ó	N

VOCABULARIO

ACTIVIDAD 1 ¡A la juguetería!

Explica cómo llegar a la juguetería. *(Hint: Use the drawings to complete the sentences.)*

La juguetería está muy cerca de mi casa. Sal de la casa y camina hacia el

_____ hasta llegar a la plaza. Allí busca la avenida Bolívar, donde hay un

 _____. Desde allí, puedes ver un _____ a tu

derecha. Sigue hacia el río. Vas a encontrar una _____ .

Junto a esa tienda está la juguetería. ¡Diviértete!

ACTIVIDAD 2 ¿Buzón o peatón?

Subraya la palabra correcta. *(Hint: Underline the correct word.)*

1. Una persona que camina por el vecindario es un (buzón / peatón).

2. El cruce encima del río es un (puente / quiosco).

3. Voy a comprar un boleto en la (taquilla / heladería) para la película de esta noche.

4. Si quiere ir en autobús, vaya a la (parada / tintorería) de la esquina.

ACTIVIDAD 3 Tu vecindario

Mira la lista de palabras y escribe las cosas que son comunes y las que no son comunes en tu vecindario: **quiosco, buzón, semáforo, acera, parada, garaje, estacionamiento.** *(Hint: Write the things you see frequently and rarely in your community.)*

Son comunes en mi vecindario:

_____

_____

_____

_____

No son comunes en mi vecindario:

_____

_____

_____

_____

VOCABULARIO

ACTIVIDAD 1 ¿Dónde está el gato?

Observa las pistas en los dibujos y completa las oraciones. *(Hint: Complete each sentence.)*

1. 2. 3. 4.

1. El gato está _____ las escaleras.

2. El gato está _____ al perro.

3. El gato está _____ del árbol.

4. El gato está _____ la mesa.

ACTIVIDAD 2 Perdido(a) en Nueva York

Te acabas de dar cuenta que estás perdido(a) en Nueva York, y casi estás pensando en voz alta. Completa lo que estás pensando con las palabras: **estacionamiento, parada, conductor, puente, peatón.** *(Hint: Complete the sentences.)*

1. La _____ del autobús está a dos cuadras de aquí.

2. Si estoy a dos cuadras, no estoy lejos del _____ de mi amigo.

3. Allá lejos se ve el _____ de hierro.

4. Le voy a preguntar dónde estoy al _____ de ese taxi o a un

   _____.

ACTIVIDAD 3 Joyas secretas

¡Acabas de descubrir que hay joyas enterradas *(buried)* en tu vecindario! Lee las pistas y dibuja un mapa que muestre dónde están las joyas. *(Hint: Draw a map that shows where the jewels are.)*

Desde tu casa, subes por la calle Marcos dos cuadras hacia el norte. A la derecha vas a ver una parada del autobús. Frente a la parada hay una casa con jardín. Entra al jardín. Las joyas están junto a un árbol y debajo de la tierra. Escribe una **X** en este lugar.

VOCABULARIO

....

ACTIVIDAD 1 En el vecindario

¿Adónde vas para comprar estas cosas? *(Hint: Where do they sell these items?)*

1. boletos _____

2. helado, batidos _____

3. revistas, periódicos _____

4. juguetes _____

ACTIVIDAD 2 Rebajas

Quieres ir a la juguetería porque hay rebajas. Completa el diálogo. *(Hint: Complete the dialog.)*

> **Tú:** Hay rebajas en esta juguetería. ¿Entramos?

Tu amigo(a): _____

> **Tú:** _____

Tu amigo(a): _____

ACTIVIDAD 3 Direcciones

Escribe cómo llegar a tu escuela desde tu casa o vecindario. *(Hint: Tell how to get to school from your house or neighborhood.)*

> **modelo:** <u>¿Cómo llegas a la escuela desde mi casa? Pues, camina hacia el norte dos</u>
> <u>cuadras. En la séptima calle ...</u>

_____

_____

_____

_____

_____

GRAMÁTICA

ACTIVIDAD 1 En la pensión

Ayuda al dueño de la pensión a decirte cómo obtener boletos para un concierto. *(Hint: Underline the correct words.)*

Es necesario que te (despiertas / despiertes) muy temprano para ir a la taquilla. Te recomiendo que (tomas / tomes) el metro en la parada enfrente de la pensión. En la taquilla es importante que (pides / pidas) información sobre las horas del concierto. Después del concierto ojalá que (puedes / puedas) ir a la heladería de la plaza.

ACTIVIDAD 2 Es mejor que...

¿Cuál es la palabra correcta? *(Hint: Choose the correct word.)*

dormir	pierda	cuente	pedir

1. Quiero _____ hasta las ocho mañana. Tengo mucho sueño.

2. Ojalá que ella no _____ los boletos. No queremos pedir más.

3. Es necesario _____ la cuenta antes de salir del restaurante.

4. Es raro que él _____ chistes porque siempre los olvida.

ACTIVIDAD 3 Sugerencias

Completa las oraciones con la forma correcta del verbo entre paréntesis. *(Hint: Write the correct form of the verb.)*

1. Es probable que los restaurantes españoles _____ (servir) paella.

2. Es importante que Lu _____ (volver) a la juguetería.

3. Quiero que el conductor _____ (seguir) al norte.

4. Ojalá que tú _____ (poder) acompañarme.

GRAMÁTICA B

ACTIVIDAD 1 Yo quiero hacerlo

Marcos quiere hacer todo lo que Mariana quiere hacer. Usa formas de los verbos indicados para completar las respuestas de Marcos. *(Hint: Use the correct form of the highlighted verbs to complete the sentences.)*

Mariana: Quiero **pedir** más dinero por los quehaceres.

Marcos: No quiero que tú lo _____. Yo quiero pedirlo.

Mariana: Yo necesito **pensar** en una película buena. Vamos al cine esta noche.

Marcos: No es necesario que _____ en la película. Puedo hacerlo por ti.

Mariana: Quiero **contar** historias a los niños esta noche.

Marcos: No es posible que tú las _____. Yo necesito contarlas.

Mariana: Quiero **devolver** el vestido hoy.

Marcos: No deseo que _____ el vestido hoy. Ojalá que nosotros lo _____ el jueves.

ACTIVIDAD 2 Quiero que...

A Samuel le gusta darle consejos a su hermanito. ¿Qué le dice? *(Hint: Write complete sentences.)*

1. es necesario que / nosotros /despertarse / a las seis _____

2. quiero que / tú / volver / a casa pronto _____

3. es mejor que / nosotros / servir / la cena ahora _____

4. es importante que / tú / dormir / antes de ir a la fiesta _____

ACTIVIDAD 3 ¿Dónde estoy?

Escribe tres cosas que debes hacer cuando te pierdes. *(Hint: Write three things to do when you're lost.)*

modelo: Es importante pedirles información a los peatones.

_____

_____

_____

GRAMÁTICA C

ACTIVIDAD 1 Preferencias

Escribe oraciones para expresar preferencias. (*Hint: Express preferences.*)

> **modelo:** venir a visitarme (él)
> <u>Ojalá que él (no) venga a visitarme.</u>

1. perder los libros (tú)_____

2. costar mucho dinero (los boletos) _____

3. seguir las regulaciones de la pensión (Jimmy) _____

4. volver al restaurante de la esquina (yo) _____

ACTIVIDAD 2 ¿Qué queremos?

Tú y el tío Luis no están de acuerdo. Escribe lo que tú quieres hacer y lo que prefiere tu tío. Sigue el modelo. (*Hint: Write what you want, then what your uncle wants.*)

> **modelo:** ir a la juguetería
> <u>Yo quiero ir a la juguetería. El tío Luis quiere que Ana</u>
> <u>vaya a la juguetería.</u>

1. pedir la ayuda del peatón _____

2. dormir en la habitación con baño _____

3. servir la comida _____

4. contar chistes _____

ACTIVIDAD 3 Es importante que...

Tú y tu amigo(a) se están entrenando para un maratón. Escribe lo que aconseja tu amigo(a). (*Hint: Say what your friend advises.*)

> acostarse   despertarse   sentirse   preferir   dormir

> **modelo:** <u>Es necesario que nos acostemos temprano...</u>

_____

_____

_____

LECTURA **A**

La ruta del autobús

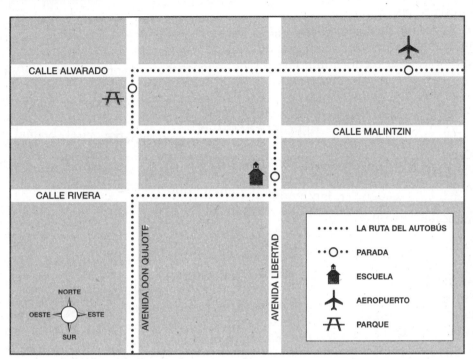

¿Comprendiste?

1. ¿Dónde están las paradas del autobús? _____

2. Para ir del parque al aeropuerto, tienes que ir hacia el _____.

3. La escuela queda en la esquina de dos calles. ¿Cuáles son? _____

_____

4. Estás en la escuela y quieres bajar por la Avenida Libertad hacia el sur. ¿Puedes tomar el autobús? _____

¿Qué piensas?

1. ¿Te gustaría trabajar de conductor(a) de autobús algún día? ¿Por qué sí o por

qué no? _____

2. En tu opinión, ¿qué es mejor, viajar en autobús, metro o carro? ¿Por qué? _____

_____

LECTURA

REPORTE ESCOLAR

GRADO: KINDER   **ESTUDIANTE:** Arturo Márquez

A Arturo le gusta jugar. Él siempre está jugando con sus compañeros. A él le interesan mucho los rompecabezas y las pelotas. Está más interesado en construir con bloques que en ver los videocasetes. ¡Tiene mucha energía!

REPORTE ESCOLAR

ESTUDIANTE: Tristán Real

GRADO: 7

A Tristán le importan mucho las noticias internacionales. Él siempre habla de lo que pasa en el mundo. Durante la clase, frecuentemente tiene un periódico o una revista en las manos. Es bueno que Tristán esté bien informado, pero es importante que haga su tarea también.

REPORTE ESCOLAR

GRADO: 10   **ESTUDIANTE:** Alisa Valdez

Alisa es muy inteligente y una experta en todo lo relacionado con Hollywood. Cuando ella escribe sobre un libro, siempre compara los personajes del libro con personajes[1] de las películas. Es importante que ella siga leyendo, y es bueno que ella piense en los personajes de las películas. Eso la ayuda en la escuela.

[1]characters

¿Comprendiste?

Indica si las oraciones son **C** (ciertas) o **F** (falsas).

C F **1.** Arturo se sienta mucho cuando está en la escuela.

C F **2.** Es probable que Tristán haga su tarea todos los días.

C F **3.** No es importante que Alisa siga leyendo.

C F **4.** A Tristán le gustan las noticias.

¿Qué piensas?

1. De las tres personalidades, ¿cuál es la más similar a la tuya? ¿Por qué?

_____

2. En tu opinión, ¿qué profesiones van a tener los tres estudiantes en el futuro?

_____

LECTURA C

¿Dónde está mi amigo, dónde es el concierto?

(El señor y la señora Reynaldo están hablando en una parada de autobús. De repente, miran a una extranjera muy preocupada.)

Señora: ¿Podemos servirle en algo? Parece que tiene un problema.

María: No puedo encontrar a mi amigo. Él tiene nuestros boletos para un concierto de los Gipsy Kings esta noche y no recuerdo la dirección.

Señora: Es posible que el concierto sea cerca de una estación de metro.

María: ¡Sí! Es necesario tomar la línea roja… o la línea verde. ¡Lo olvidé!

Señor: Tengo una idea. Ve al quiosco a ver si hay un anuncio del concierto. El quiosco está a dos cuadras de aquí, no más.

María: ¿En qué dirección?

Señora: Camina hacia el norte, hacia la Plaza de la Cibeles. Antes de llegar a la plaza, para en la Calle de Alcalá. Frente al Banco de Madrid está el quiosco. El dueño es amigo nuestro.

María: ¡Ay! Viene mi amigo, Miguel. ¿Dónde estabas?

Miguel: (nervioso) Yo estaba esperándote, en el metro de la línea roja.

María: Ay, Miguel. Tenemos que darnos prisa. Gracias, señor y señora. Ojalá que no pierdan el autobús. Miguel, ¿dónde están los boletos?

Miguel: ¿Los boletos? ¡Tú los tienes!

¿Comprendiste?

1. ¿Por qué está preocupada María? _____

2. ¿Sabe María el nombre de la calle donde es el concierto? _____

3. ¿Dónde queda el quiosco? _____

4. ¿Qué línea tienen que tomar Miguel y María para llegar al concierto? _____

¿Qué piensas?

1. ¿Cómo son el señor y la señora Reynaldo? ¿Cómo sabes? _____

_____

2. ¿Te gustaría ir a un concierto de los Gipsy Kings? ¿Por qué?_____

_____

La ciudad

Usa las pistas para formar palabras. Luego usa las letras en los círculos para formar una palabra más. *(Hint: Write the words, then use the circled letters to answer the question.)*

1. Es algo que ayuda a los peatones a saber cuándo pueden cruzar la calle.

___ ___ ___ ___ ___ ___ (___) ___ ___

2. Los peatones la necesitan para caminar fácilmente.

___ (___) ___ ___ ___ ___ ___

3. Si quieres saber si tienes correo, búscalo aquí.

___ ___ ___ (___) ___ ___

4. Si tienes que cruzar el río Mississippi, eso te ayuda.

___ ___ (___) ___ ___

5. Cuando vas de compras en carro el día de una rebaja, a veces es difícil encontrarlo.

___ ___ ___ ___ ___ ___ (___) ___ ___ ___ ___

___ ___ ___ ___ ___ ___ ___

6. Tienes que esperar aquí si vas a tomar el metro.

___ ___ (___) ___ ___ ___

7. Es necesario que vayas aquí si tienes camisas y vestidos sucios.

___ ___ ___ (___) ___ ___ ___ ___ ___ ___

8. Necesito leer las noticias todos los días. Por eso, gasto mucho dinero aquí.

___ (___) ___ ___ ___ ___

9. Es el lugar donde vivo, juego y trabajo.

___ ___ (___) ___ ___ ___ ___

10. Ahora toma las letras que están en los círculos y contesta la siguiente pregunta.

¿Quién es la persona que maneja un carro, un autobús, un tren o un taxi?

___ ___ ___ ___ ___ ___ ___ ___

Nombre _____ Clase _____ Fecha _____

VOCABULARIO A

ACTIVIDAD 1 De compras

Traza una línea de la oración a la palabra correcta. *(Hint: Match the columns.)*

1. Es importante escoger uno que haga juego con tu vestido.   traje

2. Usa la talla correcta para vestirte bien.   dependiente(a)

3. Cuando están muy apretados, te duelen los pies.   zapatos de tacón

4. Si tienes preguntas, habla con él o con ella.   pañuelo

ACTIVIDAD 2 Comparaciones

Indica si la oración es **C** (cierta) o **F** (falsa). *(Hint: Mark true or false.)*

C F **1.**  El hombre es mayor que la mujer.

C F **2.**  El chaleco es más elegante que los pantalones.

C F **3.**  La primera es mejor que la segunda.

C F **4.**  Hay tantos zapatos como sandalias.

ACTIVIDAD 3 Dinero, dinero, dinero

Escribe lo que haces en las siguientes situaciones. Usa estas frases: **cajero automático, cheque, cuenta de ahorros, préstamo.** *(Hint: Use the phrases to write sentences.)*

   modelo: cuando viajas   <u>Cuando viajo, uso cheques de viajero.</u>

1. cuando no tienes suficiente dinero _____

2. cuando quieres ahorrar para comprarte algo _____

3. cuando necesitas dinero inmediatamente _____

4. cuando no tienes una tarjeta de crédito _____

Unidad 4
Etapa 3

Actividades para todos
VOCABULARIO

A

VOCABULARIO B

ACTIVIDAD 1 Escoge la palabra

Subraya la palabra que mejor complete cada oración. *(Hint: Underline the correct word.)*

1. Para (gastar / ahorrar) dinero, vas de compras al almacén.

2. El (cajero / cajero automático) está de mal humor hoy.

3. La cajera me dio dinero de la (cuenta de ahorros / caja registradora).

4. Una persona (tacaña / de buen humor) normalmente no presta dinero.

ACTIVIDAD 2 El dependiente y el cliente

El dependiente y su cliente no están de acuerdo. Escribe lo opuesto de la palabra indicada. *(Hint: Write the word that says the opposite.)*

Dependiente: El traje le queda un poco **flojo,** ¿no?

Cliente: No creo que me quede flojo. Creo que me queda _____.

Dependiente: Y los zapatos, ¿son **anchos**?

Cliente: Al contrario, son _____.

Dependiente: ¿Quizás está **de mal humor** hoy, señor?

Cliente: No, estoy _____, como siempre.

Dependiente: Pues, tiene usted que tomar una decisión si quiere comprar la ropa. El almacén **cierra** a las ocho.

Cliente: Dice en el anuncio que está _____ hasta las nueve.

ACTIVIDAD 3 Tu ropa

Haz cuatro oraciones sobre tu ropa. Usa el vocabulario de esta etapa. *(Hint: Write four sentences about your clothes.)*

modelo: <u>Mis zapatos de tacón son más caros que mis sandalias.</u>

1. _____

2. _____

3. _____

4. _____

Unidad 4
Etapa 3

Actividades para todos
VOCABULARIO

B

VOCABULARIO

ACTIVIDAD 1 ¿Qué necesitan para resolver la situación?

Escribe lo que debe hacer cada persona. Usa los dibujos como pistas. *(Hint: Write what each person should do.)*

1. Jean quiere comprar regalos en Madrid para todos sus amigos.

_____

2. Sandra no tiene suficiente dinero en su bolsa para tomar un taxi.

_____

3. Tomás tiene que darle el cambio al cliente.

_____

4. Mamá tiene que pagar la cuenta de teléfono.

_____

ACTIVIDAD 2 No me quedan bien

Lorena piensa que su ropa no le queda bien. Escribe lo que dice, usando formas de las siguientes palabras: **ancho, apretado, estrecho, flojo.** *(Hint: Say what doesn't fit.)*

_____

_____

_____

ACTIVIDAD 3 Arreglarse para una fiesta

Imagínate que vas a una fiesta elegante con tu amigo(a). Describe la ropa que llevan. *(Hint: Describe the clothing you'll wear to a party.)*

_____

_____

_____

Unidad 4
Etapa 3

Actividades para todos
VOCABULARIO

C

GRAMÁTICA

ACTIVIDAD 1 Opiniones

Subraya la palabra que mejor complete la oración. *(Hint: Underline the correct words.)*

1. No es verdad que los pantalones (hagan juego / hacen juego) con la camisa.

2. Dudo que la dependienta (está / esté) de buen humor.

3. No creo que el traje le (quede / queda) bien.

4. No es seguro que los zapatos (son / sean) sencillos.

ACTIVIDAD 2 El problema de Gilberto

Escribe la letra de la contestación más lógica. *(Hint: Write the letter of the appropriate response.)*

1. **Gilberto:** Guardamos suficiente dinero para comprar el bote que queremos._____

2. **Gilberto:** El problema es éste: mi esposa no quiere gastar nada._____

3. **Gilberto:** Le pedí un préstamo a mi primo, pero él tiene muchos gastos ahora._____

4. **Gilberto:** Entonces, quiero que tú me prestes el dinero para el bote._____

   a. Tú: Me gusta que me pidas un préstamo, pero la respuesta es no.

   b. Tú: Siento que ella sea tacaña.

   c. Tú: Me sorprende que él no tenga el dinero. Me dio un préstamo hace una semana.

   d. Tú: Me alegro de que ustedes puedan ahorrar dinero.

ACTIVIDAD 3 Dudas

Lee las oraciones y responde con una expresión de duda. *(Hint: Respond with an expression of doubt.)*

modelo: El almacén está cerrado a las tres de la tarde.
<u>Dudo que el almacén esté cerrado a las tres de la tarde.</u>

1. El almacén está abierto a las siete de la mañana. _____

2. La rebaja es para todos los trajes nuevos._____

3. El par de zapatos de tacón cuesta menos que el pañuelo._____

4. El dependiente les da rebajas a sus amigas._____

GRAMÁTICA B

ACTIVIDAD 1 ¿Es seguro?

Mira los dibujos. Luego responde a las oraciones. Empieza tus respuestas con **Es seguro que** o **No es seguro que.** (*Hint: Respond to each sentence.*)

1. La mamá compra un juguete para su hijo. _____

2. Arturo y Feli juegan al tenis. _____

3. Lisa se viste con un chaleco flojo. _____

ACTIVIDAD 2 Los dependientes

Eres un(a) dependiente(a) y estás hablando con otros empleados de la tienda. ¿Qué les dices? (*Hint: Write complete sentences.*)

1. no es verdad que /ellos / pagarme más dinero _____

2. me molesta que / tú / querer saber cuánto tengo en la caja registradora _____
_____

3. quizás / el dueño de la tienda / estar de buen humor hoy _____
_____

4. me alegro de que / nosotros / trabajar juntos _____

ACTIVIDAD 3 Un día triste

No estás de buen humor. Di por qué. (*Hint: Complete the statements.*)

modelo: <u>Tengo miedo de que mi maestra vaya a darnos un examen hoy.</u>

1. Siento que _____.

2. Me molesta que _____.

3. Tengo miedo de que _____.

4. Me sorprende que _____.

GRAMÁTICA

 1 **Los gastos de John**

Quieres ayudar a John a ahorrar dinero. Respóndele y expresa tus dudas sobre su manera de gastar. *(Hint: Respond with expressions of doubt.)*

John: Voy a comprar una casa y un carro nuevo al mismo tiempo.

Tú: _____

John: Voy al cajero automático para sacar dinero tres veces al día.

Tú: _____

John: No me gusta comer en casa; prefiero restaurantes elegantes.

Tú: _____

John: No importa que no tenga trabajo, el banco me va a dar un préstamo.

Tú: _____

 2 **No creo que...**

Mira los dibujos y escribe tu reacción. Empieza tus oraciones con **No creo que.** *(Hint: Write reactions to the problems.)*

1. _____

2. _____

3. _____

3 **¡Es imposible!**

Estás en El Corte Inglés. El dependiente te dice que tiene sólo un traje de tu talla. Respóndele con expresiones de duda. *(Hint: Reply to the salesperson, expressing doubt.)*

modelo: No creo que el almacén solamente tenga un traje de la talla correcta...

_____

_____

_____

LECTURA

La chequera¹ de Rosario

NÚMERO	FECHA	TRANSACCIÓN	GASTOS	DEPÓSITOS	BALANCE
					3.305,56
100	5/12	El Corte Inglés (falda)	27		3.278,56
101	5/12	Cine La Vaguada (entrada)	4,80		3.273,76
	9/12	Sueldo²		1.442,38	4.716,14
102	12/12	Cuenta de electricidad	90,15		4.625,99
103	13/12	Boutique Serrano (falda)	18,03		4.607,96
104	15/12	Restaurante Ávila (desayuno)	4,05		4.603,91

¹ checkbook   ² salary

¿Comprendiste?

Completa las comparaciones usando **más que** o **menos que**.

1. Los gastos son _____ los depósitos.

2. La falda vale _____ el desayuno.

3. La cuenta de electricidad es _____ el sueldo.

4. La falda de El Corte Inglés cuesta _____ la falda del boutique.

¿Qué piensas?

1. ¿En qué país vive Rosario? ¿Cómo lo sabes?_____

   _____

2. ¿Piensas que es importante escribir todos los gastos en un lugar? ¿Por qué?

   _____

   _____

Unidad 4
Etapa 3

Actividades para todos
LECTURA

A

LECTURA B

¡Rebaja del Año escolar!

**50% MENOS QUE LOS PRECIOS
DE LOS ALMACENES GRANDES**

15, 16, 17 DE AGOSTO

✳ Camisas de marca[1]
✳ Pantalones de mezclilla[2], kakis de
   diseñador famoso y jeans cómodos
✳ Faldas para jóvenes

¡No se pierda[3] nuestra increíble selección
de zapatos!

LA CASA DE LA ROPA

ABIERTO: JUEVES Y VIERNES 10 AM–7 PM;
SÁBADO 10 AM–5 PM

[1] name brand   [2] tweed   [3] Don't miss

¿Comprendiste?

1. ¿Por qué hay una rebaja? _____

2. ¿Tienen camisas con rayas? _____

3. ¿Qué tipos de pantalones venden? _____

4. ¿Ves tantos zapatos como faldas? _____

¿Qué piensas?

1. ¿Está abierta La Casa de Ropa solamente los jueves, viernes y sábados? _____

_____

2. ¿Qué piensas de las rebajas? ¿Hay gangas buenas en los almacenes de

tu ciudad o pueblo? ¿Por qué sí o por qué no? _____

_____

130   **Unidad 4, Etapa 3**
Actividades para todos
LECTURA B

¡En español! Level 2

LECTURA C

El problema de Dora

En dos días hay una fiesta en la casa de mi mejor amigo, Jaime. ¡No tengo nada que ponerme y él me dijo que es una fiesta formal! Quiero ir de compras, pero no tengo suficiente dinero en mi cuenta de ahorros para comprar nada, entonces no sé qué hacer. Todo el mundo va a tener ropa elegante, menos yo, Dora, sentada[1] sola con un vestido sencillo… es decir, feo. ¡Y no me digas que tengo todo lo necesario! Pues, no quiero pelear. Simplemente quiero pedirte un pequeño préstamo. Puedo hacer muchos quehaceres si quieres. Además, no voy a comprar nada más por dos años… ¿Qué? ¿Dijiste que sí? Gracias, gracias, y un montón de besos. ¡Estoy tan feliz! ¿Qué? ¿Quieres que corte el césped ahora? Pero… bueno, lo hago sin decir ni una palabra más.

[1]seated

¿Comprendiste?

1. ¿Tiene Dora suficiente dinero para comprar un vestido elegante? _____
   _____

2. Dora tiene miedo de algo. ¿Qué es? _____

3. ¿Qué piensa Dora que tiene que ponerse para la fiesta? _____

4. Dora se alegra de que _____.

5. Al fin, ¿qué tiene que hacer Dora inmediatamente?_____

¿Qué piensas?

1. En tu opinión ¿a quién le habla Dora? _____
   _____

2. ¿Te sorprende que alguien le vaya a prestar dinero a Dora? ¿Por qué sí o por que

   no?_____
   _____

3. ¿Es seguro que Dora no vaya a comprar nada por dos años? _____
   _____

Crucigrama: Vamos de compras

Haz el crucigrama. Usa palabras relacionadas con ir de compras. *(Hint: Complete the crossword puzzle.)*

Horizontales

1. La _____ es la persona que te puede ayudar cuando vas de compras.

3. Para vestirte bien, es importante _____ la talla correcta.

5. Cuando un almacén tiene una rebaja buena, generalmente hay muchas _____.

7. No los uso todos los días, pero cuando voy a una fiesta, me gusta ponerme un par de zapatos de _____.

9. En mi profesión no necesito ropa elegante. Puedo vestirme con camisas _____.

Verticales

2. Es lo opuesto de la respuesta del 9, horizontal.

4. ¡No me _____ que hay una rebaja! Tengo que trabajar hoy y no puedo ir.

6. Te ves como un tigre con esa camisa con todas esas _____.

8. Tengo una entrevista para el empleo de mis sueños. Necesito comprar un _____ nuevo para dar una buena impresión.

VOCABULARIO

....

ACTIVIDAD 1 En el bosque tropical

Escribe las letras de los animales que cada oración describe.

a. tortuga   **b.** león   **c.** venado   **d.** lobo

     e. tucán   **f.** serpiente   **g.** mono   **h.** loro

1. Vuelan por el aire. ___ ___   **3.** Son bonitos, pero feroces. ___ ___

2. Andan por el agua y por la tierra. ___ ___   **4.** Son animales mansos. ___ ___

ACTIVIDAD 2 Caminemos por la naturaleza

Completa el diálogo. Usa las siguientes palabras: **mariposas, colina, sendero, belleza.**

Andrew: Me encanta caminar por el bosque. Es bueno que hallamos un

_____ muy ancho.

Maya: ¿Ves todas las flores en la distancia? Están en una

_____. ¡Vamos!

Andrew: Mira, Maya, allí hay _____ volando por todas
partes. Les gustan las flores.

Maya: Aquí hay una _____ que es importante
preservar.

ACTIVIDAD 3 ¿Qué descubres?

Imagínate que estás en los siguientes lugares. Escribe una cosa que ves.

modelo: playa
<u>Veo una tortuga en la arena.</u>

1. isla _____

2. valle _____

3. selva _____

Nombre _____ Clase _____ Fecha _____

VOCABULARIO B

....

ACTIVIDAD 1 ¡Conservemos el medio ambiente!

Subraya las palabras correctas para completar el párrafo.

En la (naturaleza / sombra) hay mucha dependencia entre los animales, las plantas y las personas como tú y yo. Si no (volamos / preservamos) el medio ambiente, el resultado será muy (peligroso / feliz), tanto para la gente como para los animales. Tenemos que valorar (la tierra / el clima). Es importante que limpiemos nuestra basura cuando vamos a acampar y no debemos molestar a los animales (naturales / salvajes). ¡Conservemos la belleza de este lugar! Las (poblaciones / colinas) del futuro están en nuestras manos.

ACTIVIDAD 2 La naturaleza

Lee las pistas y escribe el lugar que describen. Usa las siguientes palabras: **selva, isla, valle, montañas.**

1. Hay mucha sombra aquí y muchas plantas silvestres. _____

2. Ves piedras por todas partes y nieve en las grandes alturas. _____

3. Es el lugar entre las montañas. _____

4. Es tierra con agua alrededor. _____

ACTIVIDAD 3 Valoro la belleza del parque

Estás en un parque nacional en Costa Rica. Escribe sobre dos cosas que ves, usando algunas de las siguientes palabras: **clima, por todas partes, valle, belleza, diverso(a), sendero.**

modelo: Estoy en el Parque Nacional del Volcán Poás. Valoro mucho la belleza del valle que puedo ver desde el volcán...

_____

_____

_____

_____

VOCABULARIO C

ACTIVIDAD 1 En Costa Rica

Completa las oraciones con vocabulario de esta etapa.

1. En la selva veo los animales salvajes y las plantas_____.

2. En el zoológico puedes ver animales feroces, como leones, _____

   y _____.

3. En el bosque tropical los tucanes vuelan por el aire. La gente camina por

   un _____.

4. Otra manera de decir «conservar la naturaleza» es «preservar el _____».

ACTIVIDAD 2 Características de un lugar

Observa el dibujo y escribe una descripción breve después de cada palabra.

1. clima: _____

2. altura: _____

3. sendero: _____

4. animales: _____

ACTIVIDAD 3 Preservemos la tierra

Alguien quiere capturar jaguares, monos y loros en un bosque tropical. Dile por qué piensas que no debe hacerlo. Usa palabras de esta etapa.

modelo: Es importante preservar la naturaleza. Los jaguares necesitan vivir en el
             bosque porque son animales salvajes…

_____

_____

_____

Nombre _____ Clase _____ Fecha _____

GRAMÁTICA

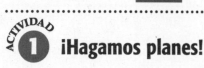 **¡Hagamos planes!**

Juan y Miles están haciendo planes para un viaje a la Isla del Coco. Subraya el imperativo en la forma **nosotros** para completar cada oración.

Juan: (Vamos / Veo) a la tienda a sacar fotos para nuestros pasaportes.

Miles: (Llamar / Llamemos) para las reservaciones del vuelo de Nueva York a San José.

Juan: (Compraba / Compremos) una guía de Costa Rica.

Miles: (Aprendamos / Aprendieron) más sobre la naturaleza de la isla.

2 Predicciones

Todos van a acampar la próxima semana. Martín hace predicciones sobre lo que pasará. Usa las siguientes palabras para completar sus oraciones.

> pasará   valoraremos   caminarán   descubriré   llorará

1. Luz y Enrique _____ por el sendero todo un día.

2. Yo _____ un lobo feroz en una colina.

3. Enrique _____ un día estudiando las plantas silvestres.

4. Luz _____ por no traer su impermeable.

5. Nosotros _____ la naturaleza mejor. También decidiremos salir temprano para dormir en nuestras casas muy cómodas.

3 Después de la escuela

Escribe qué harán estas personas después de la escuela.

modelo: tú / viajar por tren a la casa de tu abuela
<u>Viajarás por tren a la casa de tu abuela.</u>

1. usted / comer por la tarde _____

2. la maestra / descansar por dos horas _____

3. Melissa / llamar a Débora por teléfono _____

4. nosotros / ir a la heladería _____

GRAMÁTICA B

ACTIVIDAD 1 El viaje a Nuevo México

Luis hará un viaje pronto. Completa cada oración con una expresión usando **por.**

Esta noche viajaré _____ _____ a Santa Fe, y visitaré a mis

primos _____. Vamos a visitar el Parque Bandelier, donde caminaremos

_____ al Río Grande. Voy a llamarlos _____

porque no sé si necesitaré un traje de baño.

ACTIVIDAD 2 La clase de biología

Completa las oraciones usando el imperativo en la forma **nosotros**.

modelo: **Rosa:** <u>Estudiemos</u> (Estudiar) los animales salvajes.

Luisa: Sí, _____ (hablar) con el profesor Abraham. Él

sabrá qué libros podemos leer.

Rosa: _____ (Usar) Internet también.

Luisa: Pero a veces tiene información que no es correcta.

Rosa: Por eso, _____ (tener) cuidado. ¿Quieres empezar ahora?

Luisa: ¡_____ (Acostarse) y empecemos por la mañana!

ACTIVIDAD 3 ¡Vamos a Costa Rica!

Imagínate que tu clase de español viajará a Costa Rica este verano. Escribe cinco predicciones de lo que pasará.

modelo: <u>Comeremos comidas típicas de Costa Rica. Veremos tucanes...</u>

_____

_____

_____

_____

GRAMÁTICA

C

ACTIVIDAD 1 Al aire libre

Observa los dibujos y escribe oraciones con el imperativo de **nosotros.**

modelo: Preservar  Preservemos el bosque tropical.

1. Descubrir  _____

2. Caminar  _____

3. Observar _____

ACTIVIDAD 2 Las aventuras

¿Qué quiere decir **por** en cada oración? Subraya la palabra o frase correcta.

1. Tengo que descansar por la altura. (a causa de / durante todo / en)

2. Viajaremos por avión. (a causa de / durante todo / en)

3. Estuve en California por el mes de mayo. (a causa de / durante todo / en)

4. Caminemos por el sendero. (a causa de / durante todo / en)

ACTIVIDAD 3 Observaremos la naturaleza

Trabajas como guía en un parque nacional de Costa Rica. Hoy vas a acompañar a algunos turistas en una excursión. Explícales adónde irán y qué verán.

modelo: Primero, caminaremos por el bosque. Si tenemos suerte, veremos monos.
Luego, iremos...

_____

_____

_____

LECTURA

¿Qué harás?

¿Qué tipo de persona eres?

¿Cómo responderás en las siguientes situaciones?
1. **Alguien pone basura en la calle. ¿Cómo responderás?**
   a. Caminaré por otra calle.
   b. La limpiaré.
   c. Hablaré con la persona para ayudarla a ser más responsable.
2. **Un amigo está llorando. ¿Cómo responderás?**
   a. Me iré inmediatamente.
   b. Le daré a la persona una servilleta para secarse la cara.
   c. Trataré de descubrir cuál es el problema.
3. **El dependiente cometió un error. Te dio el CD equivocado. ¿Cómo responderás?**
   a. Estaré furioso. Pediré mi dinero por el CD.
   b. Regresaré a la tienda para cambiar el CD.
   c. Valoraré la oportunidad de escuchar música diferente.

Henry Quintero

¿Qué tipo de persona eres?

¿Cómo responderás en las siguientes situaciones?
1. **Alguien pone basura en la calle. ¿Cómo responderás?**
   a. Caminaré por otra calle.
   b. La limpiaré.
   c. Hablaré con la persona para ayudarla a ser más responsable.
2. **Un amigo está llorando. ¿Cómo responderás?**
   a. Me iré inmediatamente.
   b. Le daré a la persona una servilleta para secarse la cara.
   c. Trataré de descubrir cuál es el problema.
3. **El dependiente cometió un error. Te dio el CD equivocado. ¿Cómo responderás?**
   a. Estaré furioso. Pediré mi dinero por el CD.
   b. Regresaré a la tienda para cambiar el CD.
   c. Valoraré la oportunidad de escuchar música diferente.

Isabel Lopera

¿Comprendiste?

Indica si la oración es **C** (cierta) o **F** (falsa).

C   F   **1.** Isabel no quiere ayudar a otras personas.

C   F   **2.** Henry tiene mucho interés en el medio ambiente.

C   F   **3.** Isabel y Henry estarán furiosos si un dependiente comete un error.

C   F   **4.** Isabel y Henry no tienen ninguna respuesta en común.

C   F   **5.** A Isabel le gusta resolver los problemas.

¿Qué piensas?

1. ¿Piensas que las respuestas de Isabel y Henry dicen algo sobre sus personalidades?

¿Por qué? _____

2. Si tomas este «examen», ¿responderás más como Isabel o como Henry?

_____

LECTURA

Usar mapas para ver causa y efecto

Alto, bajo y en medio

En New Hampshire, puedes ir desde un lugar que está al nivel del mar[1] hasta otro que está a 6.288 pies sobre el nivel del mar en un solo día. A medida que pasas[2] de una elevación —la altura sobre el nivel del mar— a otra, verás que el paisaje no es lo único[3] que cambia. ¡También cambian las actividades de la gente! Verás marineros[4] en el mar, patinadores en los lagos del interior y esquiadores cuando llegues al Monte Washington. La elevación causa algunos de estos cambios. Un mapa de elevaciones te ayuda a decidir qué hacer en cada lugar.

[1] sea level   [2] As you pass   [3] the only thing   [4] sailors

¿Comprendiste?

1. ¿Cómo se llama el lugar que está a 6,288 pies sobre el nivel del mar? _____
_____

2. ¿Cómo cambian las actividades de la gente cuando la altura cambia? _____
_____

3. ¿Cuáles son algunas características geográficas de New Hampshire? _____
_____

¿Qué piensas?

1. ¿Qué otras actividades puedes hacer en las tres elevaciones? _____
_____

2. ¿Puedes nombrar otro lugar que tenga algunas de las mismas características

geográficas de New Hampshire? _____
_____

LECTURA C

Las observaciones de Mauricio

Ayer no vi a nadie. Mañana no veré a nadie. Mis compañeros son las plantas, los animales y las serpientes. No olvidaré las serpientes nunca. Ayer, mientras caminaba por un sendero, una pasó entre mis pies. Me pregunté, ¿hay serpientes a esta altura? Pero la respuesta fue muy clara. Por eso, cuando pienso en la belleza de aquí, pienso en las cosas peligrosas también —la posibilidad de ver animales salvajes. Después de comer, limpio todo para no atraer a los animales. Cuando duermo, dejo un ojo abierto.

Nosotros, las personas, no controlamos la naturaleza. Y ahora es que veo esto realmente por primera vez en mi vida. Antes, no pensaba mucho en el medio ambiente. Pero siempre recordaré la sombra y el sol de la tarde jugando en el valle entre estas colinas. Escribo y escribiré para preservar el silencio de este momento. Es por el silencio que descubrimos quiénes somos.

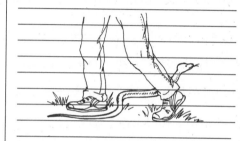

¿Comprendiste?

1. ¿Qué actividad hace Mauricio? _____

2. ¿Va a ver Mauricio a otras personas hoy? _____

3. ¿Por qué piensa Mauricio en las cosas peligrosas? _____

_____

4. ¿Piensa Mauricio que la gente puede controlar la naturaleza? _____

_____

5. ¿Cuáles son algunas características geográficas del lugar que Mauricio describe?

_____

¿Qué piensas?

1. En tu opinión, ¿qué significa la oración «Es por el silencio que descubrimos

quiénes somos»? _____

2. ¿Te gustaría acampar solo(a) algún día? ¿Por qué? _____

Sopa de letras

En esta sopa de letras hay nueve imperativos de **nosotros;** cuatro de ellos son reflexivos. Usa las pistas para formarlos, luego márcalos con un círculo abajo.

1. Queremos salir ya. ¡_____!

2. Estamos muy cansados. ¡_____!

3. Queremos recuerdos del parque. ¡_____ fotos!

4. No estamos en nuestras sillas y el maestro está furioso. ¡_____ bien!

5. La naturaleza va a sufrir tanto si no hacemos algo. ¡_____ el medio ambiente!

6. ¿Qué les dice la maestra a sus estudiantes cuando están jugando en clase?

«¡_____!»

7. No quiero que papá nos vea. ¡_____!

8. El medio ambiente es precioso. ¡_____ la naturaleza!

9. Dice el loro a un tucán: «¡_____!»

```
R  T  L  A  P  R  I  A  T  O  P  S  P  S  E  G
S  O  M  E  R  O  L  A  V  A  O  J  O  F  T  S
U  M  Y  S  P  R  O  M  E  S  S  N  R  N  R  O
I  I  H  A  J  N  B  A  Q  O  O  H  T  R  B  N
O  T  D  Q  A  G  R  I  C  M  M  T  É  R  A  O
Í  A  O  U  E  M  E  D  Á  E  E  E  L  E  N  M
R  D  B  E  R  E  G  D  E  L  L  R  O  R  Q  É
E  T  D  M  P  S  N  O  N  L  O  C  O  L  U  T
V  Á  M  O  N  O  S  E  T  V  V  I  B  E  E  N
F  E  I  S  C  O  D  I  O  V  I  O  I  E  R  E
Y  U  S  S  U  C  Ó  N  S  E  R  V  E  M  O  S
Q  U  E  E  E  S  T  Ó  T  Y  N  Z  N  P  R  I
P  O  R  T  É  M  O  N  O  S  D  D  F  O  Ñ  W
R  S  O  M  E  S  N  A  C  S  E  D  A  M  A  O
G  A  N  A  D  E  R  Í  A  G  T  R  I  G  O  X
```

¡En español! Level 2

VOCABULARIO

ACTIVIDAD 1 ¿Vamos a acampar?

Elena va a acampar por primera vez. Contesta sus dudas con la palabra correcta.

fósforo	pescar	linternas	almohada	leña

Elena: Tendré miedo porque no habrá luz en la tienda de campaña.

Tú: Usaremos unas _____.

Elena: Llevaré mi saco de dormir. ¿Qué más necesitaré?

Tú: Si quieres estar cómoda, necesitarás una _____.

Elena: ¿Qué comeremos en las montañas?

Tú: Iremos a _____. Cocinaremos el pescado en la fogata.

Elena: ¿Cómo podremos hacer la fogata?

Tú: La haremos con _____ y un _____.

ACTIVIDAD 2 El tiempo

Indica si la oración es **C** (cierta) o **F** (falsa).

C   F   **1.** Durante un huracán, es lógico escalar una montaña.

C   F   **2.** Siempre oyes truenos cuando hay neblina.

C   F   **3.** Durante un aguacero, es bueno tener paraguas.

C   F   **4.** El pronóstico te dice las noticias internacionales.

ACTIVIDAD 3 La lista

Estás preparándote para acampar en un bosque. Escribe las cosas que necesitarás: **saco de dormir, abrelatas, fósforos, manta, leña.**

1. para dormir: _____

2. para preparar la comida: _____

3. para hacer una fogata: _____

VOCABULARIO B

ACTIVIDAD 1 El tiempo raro

Ayer fue un día raro en tu pueblo. Escoge las palabras correctas para completar las oraciones.

Ayer fue un día raro. Por la mañana, estaba muy húmedo y era casi imposible ver por toda la (neblina / nube) que había. Al mediodía, no había una nube en el cielo. Parecía que iba a ser un día (violento / soleado) y caluroso. Pero a las cuatro vino un (trueno / aguacero) tremendo. Había agua por todas partes y ni los impermeables ni los paraguas ayudaban. Hubo relámpagos y (truenos / tijeras) violentos. Con todo el viento, el pueblo empezó sus preparaciones para un (aguacero / huracán). Por suerte, nada pasó.

ACTIVIDAD 2 ¿Cuál es la actividad?

¿Para qué son estas cosas? Mira los dibujos y escribe el nombre de la actividad apropiada.

1.

2.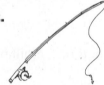

3.

4.

_____ _____

ACTIVIDAD 3 Pasatiempos

Mira la actividad y escribe las cosas que necesitas para hacerla.

modelo: escalar montañas Cuando escalo montañas, es importante ponerme zapatos buenos. Si es un día caluroso...

1. acampar _____

_____

2. remar _____

_____

VOCABULARIO C

ACTIVIDAD 1 ¿Qué harás?

Imagínate que vas a acampar mañana. Contesta las siguientes preguntas.

1. ¿Adónde irás? _____

_____

2. ¿Qué traerás? _____

_____

3. ¿Con qué harás una fogata? _____

_____

4. ¿Qué actividades harás? _____

5. ¿Qué dice el pronóstico del tiempo para mañana? _____

_____

ACTIVIDAD 2 ¿Qué soy?

Escribe la palabra del vocabulario que cada oración describe.

1. Soy un tipo de fuego. _____

2. Puedes oírme cuando hay relámpagos. _____

3. Significo lo mismo que **hacer montañismo.** _____

4. Me necesitas para cortar el pelo. _____

ACTIVIDAD 3 El tiempo de hoy

En el trópico, llueve parte del día y luego hace sol. Imagínate que vives en un clima tropical. Escribe el pronóstico del tiempo del día de hoy.

_____

_____

_____

_____

GRAMÁTICA

 1 El líder del campamento

Eres el líder de un grupo de niños en un viaje de acampar. Necesitas decirles lo que deben hacer. Escoge la frase que mejor completa cada oración.

1. Para ayudarnos a preparar el campamento, Juan

2. Tenemos que preparar la fogata. Mario y Gabriel

3. Muchas personas quieren pescar pero solamente tenemos dos botes. Yo

4. Vamos a caminar por muchas horas mañana. Cecilia y Li

a. tendrán que buscar leña en el bosque.

b. harán los sándwiches.

c. pondrá todos los sacos de dormir en las tiendas de campaña.

d. diré quiénes van a ir primero.

 2 ¿Qué hará?

Subraya la palabra que describe lo que va a pasar en el futuro.

1.  Yo (sabré / sabrá) escalar montañas.

2. El señor y la señora Delgado (podrás / podrán) remar el bote.

3. Hilda (querré / querrá) ponerse ropa seca.

4. Esta pintura (valdrá / valdrán) mil dólares.

 3 ¿Para quién será?

Contesta las siguientes preguntas con oraciones completas.

1. ¿Para dónde saldrá Ana? (San José) _____

2. ¿Para quién será esta manta? (Jorge) _____

3. ¿Para quién trabajará Lourdes? (un periódico costarricense) _____

4. ¿Para qué necesitan leña? (hacer una fogata) _____

GRAMÁTICA B

··

ACTIVIDAD 1 El pronóstico del tiempo para el sábado

Subraya la palabra correcta para completar las predicciones del tiempo del fin de semana.

1. (Hará / Será / Estarán) 30 grados centígrados.

2. (Hará / Será / Estará) calor.

3. (Harán / Será / Estará) un día soleado.

4. (Hará / Será / Estará) húmedo todo el día.

ACTIVIDAD 2 Haremos...

Escribe oraciones nuevas. Sigue el modelo.

modelo: Paco hará montañismo. (yo) <u>Haré montañismo.</u>

1. José dirá que remar es bueno para la salud. (Lidia y Jaime) _____

_____

2. Tú tendrás que buscar leña. (nosotros) _____

3. Ellos podrán jugar al golf este fin de semana. (tú) _____

4. Mis padres querrán mantas para dormir. (yo) _____

_____

ACTIVIDAD 3 Contesta las preguntas

Escribe las respuestas según los dibujos.

1. Para proteger el medio ambiente,

   ¿qué harán? _____

2. ¿Es esta sábana para Francisco? _____

_____

3. ¿Saldrán ustedes para Santiago en dos días?

_____

1.

2.

Juan

3.

GRAMÁTICA C

ACTIVIDAD 1 Una carta para Nora

Completa esta carta poniendo los verbos en el tiempo futuro.

Querida Nora: Me aceptaron en el programa de arquitectura y (salir) _____ para Lima a fin de mes. No tengo amigos allá, así que (tener) _____ que ir a un hotel. Mis padres (venir) _____ a visitarme en diciembre. Mi hermanita está feliz porque por fin (poder) _____ ocupar mi cuarto.

Un beso. Tu amiga, Ceci

ACTIVIDAD 2 El mundo del futuro

Escribe oraciones para explicar lo que ocurrirá si no cuidamos nuestro medio ambiente. Sigue el modelo.

> **modelo:** cuidar los ríos
> Si no cuidamos los ríos, no tendremos agua limpia en el futuro.

1. conservar los árboles _____

2. proteger los animales salvajes _____

3. saber la importancia de los bosques _____

4. valorar la naturaleza _____

ACTIVIDAD 3 ¿Para dónde van?

Tú y tu hermano(a) van a acampar el sábado. Escribe sobre tus planes. Usa expresiones con **para**.

> **modelo:** Saldremos para el parque a la una. Es importante que lleguemos al campamento para las seis, cuando todavía hay luz. Tengo una almohada para Andrés...

_____

_____

_____

_____

_____

Nombre _____ Clase _____ Fecha _____

LECTURA

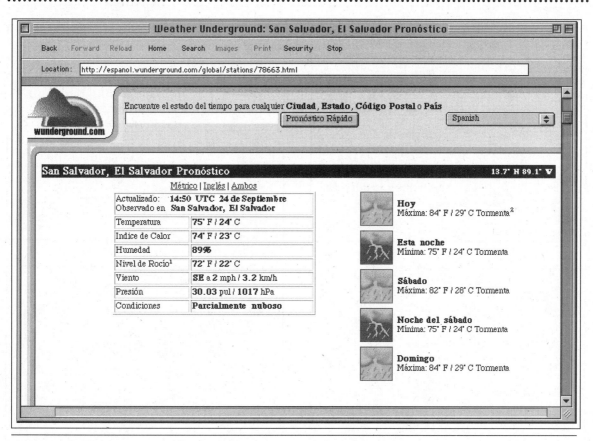

[1] dew point   [2] storm

¿Comprendiste?

1. ¿Hace frío en San Salvador hoy? _____

2. ¿Cuál será la temperatura el sábado? _____

3. ¿Está muy húmedo hoy? _____

4. ¿Hace mucho viento en San Salvador hoy? _____

¿Qué piensas?

1. ¿Piensas que van a tener un fin de semana soleado en San Salvador? ¿Por qué? _____

_____

2. En tu opinión, ¿piensas que hay posibilidad de lluvia? ¿Por qué? _____

_____

LECTURA B

Unidad 5
Etapa 2

Actividades para todos
LECTURA

B

¿Comprendiste?

1. ¿Dónde está la familia? _____

2. ¿Para qué necesitan la leña y los fósforos? _____

3. ¿Qué necesitan que no tienen? _____

4. ¿Qué solución sugiere la mamá? _____

¿Qué piensas?

1. ¿Cuál es otra solución al problema? _____

2. ¿Te gusta pescar? ¿Por qué sí o por qué no? _____

LECTURA C

··

La decisión de Fabio

¿Qué diré mañana? Quieren
que yo vaya con ellos, pero me da miedo.
No me gustan las alturas y esta actividad será
muy complicada y peligrosa. No me permitirán
simplemente esperarlos en el campamento. Las montañas
son tan altas… y nosotros, tan pequeños.
Además, a veces no siguen las reglas del parque. No quieren
quedarse en los senderos y sitios de campamento
permitidos[1]. Querrán explorar sin pensar en el impacto que
sus acciones tendrán para el medio ambiente. No estoy
de acuerdo con esta mentalidad. ¿Qué haré?
Pues, hay muchas nubes esta noche.
Espero que caiga un aguacero.

[1] designated camping areas

¿Comprendiste?

1. ¿Cuál es la actividad que le da miedo a Fabio? _____

_____

2. ¿Dónde va a tener lugar esta actividad? _____

_____

3. Fabio no está de acuerdo con algo. ¿Qué es? _____

_____

4. ¿Cómo son las personas que Fabio describe? _____

_____

¿Qué piensas?

1. ¿De quiénes habla Fabio? _____

2. ¿Qué tipo de persona es Fabio? _____

¡Vamos a acampar!

Completa las oraciones con la palabra correspondiente del vocabulario. Luego encuentra las palabras y márcalas con un círculo.

1. ¿Quién va a _____ el bote? Me duelen los brazos.

2. Tenemos la leña. Solamente necesitamos el _____ para empezar la fogata.

3. Es importante dejar un _____ de agua junto a la fogata.

4. ¿Me traes el _____ para abrir la lata de frijoles?

5. Me encanta _____ montañas para ver las vistas bonitas.

6. Mi saco de dormir no será suficiente para calentarme esta noche. Tráeme una

_____ también.

7. Me gusta estar solo en el lago por muchas horas. Por eso, me gusta

_____.

8. Está muy oscuro en este sendero. Pásame la _____, por favor.

```
A T L N B O S A T O R I O M E G
H A G E F V C N C A L J R F T S
U M S R P R Ó M E D I O E N R F
I I A T J E B A F Ó S F O R O T
N T T E A G S I C U L T U R A L
I A A O E M E C I N D E L E N I
R D L Y R E G P A G E R É R Q N
E T E F P S R O N R Y C F L U T
S N R E R P R E T R T I D B E E
C E B I T O D I A U E O C A R R
A U A F U N E M H A M P O L O N
L Q U I E R E C A M B I A D R A
A P U E S R T O S A H O R E M I
R S M Ó H A R T A M A N T A Y A
A A N A D E R Í A G T R I G O X
```

VOCABULARIO

 ACTIVIDAD 1 Nuestro planeta

Subraya la palabra que mejor complete la oración.

1. El smog (contamina / separa) el aire.

2. Para reciclar, es importante (reducir / separar) los vidrios y el aluminio.

3. (Reducimos / Echamos) la contaminación cuando no manejamos tanto.

4. Mantenemos el campamento limpio cuando (echamos / separamos) nuestra basura en el basurero.

5. Las latas y botellas son cosas que podemos (reducir / reciclar).

ACTIVIDAD 2 ¿Útil o inútil?

Fabiola está escribiendo un artículo sobre la protección del medio ambiente. Escribe si cada una de sus sugerencias es **útil** o **inútil.**

1. Es importante echar las latas de aluminio a la calle. _____

2. Después de usar una botella, podemos llenarla con agua y usarla otra vez.

_____

3. Para poder proteger el medio ambiente, debemos pensar en los efectos de

nuestras acciones. _____

4. Podemos reducir la destrucción de nuestros recursos naturales cuando cantamos

canciones. _____

 ACTIVIDAD 3 A todos nos toca

Usa **A todos nos toca** y las siguientes palabras para formar oraciones: **el smog, el vidrio, el aluminio, la capa de ozono, el cartón, el basurero.**

   modelo: reciclar <u>A todos nos toca reciclar los cartones cada semana.</u>

1. reducir _____

2. resolver _____

3. echar _____

4. separar _____

Unidad 5
Etapa 3

Actividades para todos
VOCABULARIO

A

VOCABULARIO B

ACTIVIDAD 1 ¿Qué harías?

Lee el problema y escribe la letra que da la solución.

1. Manejar carros tiene un efecto destructivo en la capa de ozono. ___

2. Hay basura en muchos parques. ___

3. Muchas compañías echan toda su basura en el basurero. ___

4. Hay mucha pobreza. ___

a. Hay que empezar a reciclar.

b. Es mejor usar transporte público.

c. Es importante poner letreros sobre la importancia de mantenerlos limpios.

d. Los países tienen que compartir mejor los recursos naturales.

ACTIVIDAD 2 En el bosque

Mira las pistas ilustradas y luego escribe las palabras que representan.

Cheng: ¡Qué lío! Es increíble encontrar tanta  _____

aquí en un bosque tan bonito.

Ariana: Increíble y triste. Tenemos que tener cuidado porque hay mucho

 _____ por aquí.

Cheng: Lo malo es que solamente somos dos y no podemos hacer mucho para

proteger el _____ de este tipo de destrucción.

Ariana: ¡No es verdad! A todos nos toca hacer algo.

ACTIVIDAD 3 ¿Cómo resolverías el problema?

¿Qué cosas harías para resolver el problema?

1. la pobreza _____

2. la destrucción de los bosques _____

3. químicos en el agua _____

VOCABULARIO

1 El medio ambiente

Lee la oración y escribe la palabra del vocabulario que mejor la completa.

1. Una lata es de aluminio; una botella es de _____.

2. Es útil separar el cartón, el vidrio y el aluminio. Es _____ echar todo en el basurero.

3. Los químicos pueden contaminar el agua; el _____ de los carros puede contaminar el aire.

4. Es la responsabilidad de todos los _____ mantener limpio el planeta.

2 Si yo fuera senador(a)…

Eres un(a) senador(a) de tu estado en el congreso de Estados Unidos. Describe la legislación que sugerirías en la próxima sesión. Usa las siguientes palabras: **el combustible, mantener limpio, el reciclaje.**

_____

_____

_____

3 En mi comunidad

Escribe un párrafo corto sobre un problema ecológico de tu comunidad y sobre lo que se puede hacer para resolverlo.

modelo: En mi comunidad la gente echa todo al basurero. No tenemos un programa de reciclaje…

_____

_____

_____

_____

Unidad 5
Etapa 3

Actividades para todos
VOCABULARIO

C

GRAMÁTICA A

ACTIVIDAD 1 Por correo

Completa las oraciones con las siguientes frases.

| por correo | para el viernes | por tres días | para San Francisco |

1. El paquete vino _____.

2. Voy a Chicago _____.

3. Salimos _____ en dos semanas.

4. Hablaré con mi amiga _____.

ACTIVIDAD 2 De vacaciones

¿Qué haría tu familia si estuviera de vacaciones en Costa Rica? Subraya los verbos correctos.

Al llegar a San José, (tomaríamos / remarán) un avión pequeño para ir directo a Quepos y (correré / visitaríamos) el Parque Nacional Manuel Antonio. Allí hay playas hermosas y monos salvajes. Nos (hospedaríamos / comerás) en un hotel ecológico en que se practica el reciclaje y se conserva energía al no usar aire acondicionado. También (sería / vino) bueno visitar la Península de Nicoya.

ACTIVIDAD 3 Por curiosidad

Usa las palabras y los dibujos para formar oraciones con **por** o **para.**

1. viajar / _____

2. estudiar / _____

3. traer el bote / _____

4. jugar al fútbol / _____

¡En español! Level 2

GRAMÁTICA B

ACTIVIDAD 1 El problema del smog

Los estudiantes están estudiando el problema del smog en su comunidad. Subraya **por** o **para** para completar la siguiente narrativa.

(Para / Por) comprender el problema del smog, los estudiantes estudiaron la situación (para / por) cinco semanas. (Para / Por) curiosidad, hicieron entrevistas con mucha gente (para / por) determinar qué pensaban las personas que vivían allí. También caminaron (por / para) el parque local, (para / por) hablar con los niños y sus padres. Por fin, viajaron a una universidad que hace investigaciones sobre el smog, (para / por) analizar causas del problema en su área.

ACTIVIDAD 2 ¿Qué harían?

Sigue el modelo para completar las oraciones.

> **modelo:** Si yo fuera el presidente (trabajar)
> <u>Si yo fuera el presidente, trabajaría para la conservación.</u>

1. Si yo estuviera en el Parque Nacional del Volcán Poás, (visitar) _____.

2. Si Elda fuera profesora, (poder) _____.

3. Si pudieras reciclar más, (haber) _____.

4. Si Víctor estuviera cansado, (querer) _____.

5. Si usted fuera político, (hacer) _____.

ACTIVIDAD 3 ¿Adónde querrías ir?

Si pudieras viajar a otro país para vivir por un mes, ¿adónde irías? ¿Qué harías allí?

_____

_____

_____

_____

_____

Unidad 5
Etapa 3

Actividades para todos
GRAMÁTICA

B

GRAMÁTICA C

....

ACTIVIDAD 1 La vida sería mejor

Mira las claves ilustradas y di lo que tendríamos que hacer para tener un mundo mejor.

modelo: Plantaríamos árboles.

1. _____

2. _____

3. _____

4. _____

ACTIVIDAD 2 Oraciones

Escribe oraciones con las preposiciones **por** y **para** en tus respuestas.

1. por un mes _____

2. para reciclar _____

3. por el sendero _____

4. para remar _____

5. por los combustibles _____

ACTIVIDAD 3 Una comunidad ideal

¿Cómo sería tu comunidad ideal? Descríbela. Usa los verbos en condicional.

_____

_____

_____

_____

LECTURA

A todos nos toca reciclar.
Pongan las botellas en la caja[1] de vidrios.
Pongan los periódicos y otros papeles en la caja de cartones.
Pongan las latas en la caja de aluminio.
Pongan los plásticos en la caja de plásticos.

[1]box

¿Comprendiste?

1. ¿En qué caja pones una revista? _____

2. ¿En qué caja pones una botella vacía? _____

3. ¿Qué puedes encontrar en la caja de aluminio? _____

4. ¿Quiénes tienen que reciclar? _____

_____

5. ¿Qué tienen que hacer los empleados de la oficina de la ilustración? _____

_____

¿Qué piensas?

1. En tu opinión, ¿está dedicada esta oficina a reciclar? ¿Por qué? _____

_____

2. ¿Piensas que sería una buena idea tener un programa de reciclaje en tu clase?

_____

LECTURA

....

Si yo fuera animal

Si yo fuera un animal en peligro de extinción...

- vería que están cortando todos los árboles de donde vivo.
- preguntaría por qué quieren destruir mi hábitat.
- haría un mapa de los bosques y selvas que son indispensables para los animales y plantas.

- lloraría por no tener nada que comer.
- lloraría por no tener aire limpio para respirar.
- preguntaría a los seres humanos por qué quieren destruir nuestros recursos naturales.

Si fueras un ser humano que quiere proteger el medio ambiente, ¿qué dirías? ¿qué harías?, ¿cómo ayudarías a los animales?

A todos nos toca cuidar nuestro planeta. La realidad es que tú eres también un animal en peligro de extinción. No se puede esperar ni un segundo más.

¿Comprendiste?

1. ¿Qué quiere saber este «animal»? _____

2. ¿Qué va a hacer este «animal»? _____

3. En las frases que empiezan con «lloraría por», ¿qué significa la palabra **por**?

_____

4. ¿Piensa este «animal» solamente en los animales? ¿Cómo lo sabes? _____

5. Este artículo describe cómo afectan los seres humanos a los animales. Escribe dos

acciones que tienen un efecto negativo. _____

¿Qué piensas?

1. En tu opinión, ¿qué quiere decir «La realidad es que tú eres también un animal en

peligro de extinción»? _____

2. ¿Qué piensas de la manera en que se presenta la información aquí? ¿Por

qué? _____

LECTURA C

Nombre: Jaime Garza   Fecha: 19 de marzo

La capa de ozono

La tierra tiene una capa de ozono que nos protege de los rayos ultravioletas que son peligrosos. Pero ciertas sustancias están destruyendo esta capa. Un ejemplo es el combustible de nuestros carros; otro es el químico que tienen los aerosoles, como por ejemplo las latas de desodorantes.

Muchos científicos piensan que la destrucción de la capa de ozono causa problemas para los ecosistemas del agua y de la tierra. Creen que la reducción de la capa les va a causar problemas médicos a los seres humanos.

La falta de la capa de ozono contribuye a la contaminación del aire. Esta contaminación puede causar dolores de cabeza, problemas en los ojos y problemas con la respiración. Si no protegemos la capa de ozono, el planeta sufrirá mucho en el futuro.

¿Comprendiste?

1. Nombra dos sustancias que pueden causar problemas en la capa de ozono.

_____

2. ¿Cierto o falso? La reducción de la capa de ozono no afecta a los peces.

_____

3. ¿Qué problemas médicos causa la reducción de la capa a los seres humanos?

_____

4. ¿Qué puede suceder en el futuro?

_____

¿Qué piensas?

1. En tu opinión, ¿es un problema la reducción de la capa de ozono?¿Por qué?

_____

2. Si fueras el (la) profesor(a) de Jaime, ¿qué nota le darías por «La capa de ozono»?

¿Por qué? _____

Un crucigrama

Completa las siguientes oraciones y luego escribe las palabras en el crucigrama.

Horizontales

1. Si yo fuera presidente, _____ cien días de vacaciones por año.

3. La caja de reciclaje tiene artículos de aluminio; después de tomar mi soda, puedo poner mi _____ allí.

5. El regalo no es mío; es _____ mi mamá.

7. Si fuera su doctor, yo le _____ que debe hacer ejercicio.

9. Recibí información _____ correo sobre cómo reciclar.

11. La planta de reciclaje acepta cartón, vidrio y _____ .

Verticales

2. Imagínense que tú y tu amigo están en San José. ¿Qué _____ ?

4. La _____ nos protege de los rayos del sol.

6. ¿A _____ te gustaría empezar un programa de reciclaje?

8. No es necesario _____ todo en el basurero. ¡Recíclalo!

10. El _____ de muchas industrias contamina el aire.

12. _____ nos toca la responsabilidad de mantener limpia la comunidad.

¡En español! Level 2

VOCABULARIO A

 Profesiones

Si la oración es cierta, marca con un círculo la **C**. Si la oración es falsa, marca con un círculo la **F**.

C   F   **1.** Un cartero diseña edificios.

C   F   **2.** Una jueza cuida plantas y animales.

C   F   **3.** Un mecánico repara carros.

C   F   **4.** Un peluquero sabe cortar el pelo.

2 **Buscando trabajo**

Catarina y Norman hablan sobre cómo podrían usar sus talentos para ganar dinero. Completa la conversación con las siguientes palabras: **capacitada, voluntaria, bailarín, solicitar, asistente, solicitud.**

Catarina: El club necesita a alguien para enseñar una clase de baile.

Norman: Yo puedo enseñarla porque soy _____.

Catarina: Tal vez yo puedo _____ trabajo en el club también.

Necesita un _____.

Norman: Estás _____ porque hiciste el mismo trabajo el año pasado.

Catarina: Sí, pero trabajé como _____. No me pagaron. Eso era diferente.

Norman: Pues, no vamos a trabajar en ningún lugar si no llenamos una _____.

3 **Una lista de carreras**

Mira las siguientes carreras y clasifícalas en orden de preferencia. Pon en primer lugar la que más te gusta y en último lugar la que menos te gusta, y explica por qué.

abogado(a)   bombero   músico(a)   cartero(a)   deportista
peluquero(a)   juez(a)   veterinario(a)

_____

_____

_____

Nombre _____ Clase _____ Fecha _____

VOCABULARIO B

1 La solicitud

Escribe la letra que corresponde a la información de la derecha.

1. ___ Alex Gutiérrez

2. ___ 9 de abril, 1972

3. ___ ecuatoriano

4. ___ técnico

5. ___ **Educación:** Universidad de Quito
Experiencia: cinco años con una
compañía privada...

6. ___ <u>Alex Gutiérrez</u>

a. puesto solicitado

b. datos profesionales

c. fecha de nacimiento

d. nombre

e. firma

f. ciudadanía

2 Las cosas relacionadas

Traza una línea de la descripción al dibujo apropiado.

1. Un cartero va todos los días a tu casa para darte...

2. Una artesana usa sus manos para hacer...

3. En la corte puedes encontrar a una abogada, a su cliente y a un...

4. Un niñero pasa mucho tiempo cuidando a los...

3 ¿Te ganarás la vida adentro o al aire libre?

Escribe tres trabajos que se hacen en una oficina, y tres trabajos que se hacen al aire libre. Después escribe cuál prefieres.

_____   _____

_____   _____

_____   _____

¡En español! **Level 2**

VOCABULARIO C

ACTIVIDAD 1 ¿A qué profesión pertenece?

Mira la lista de palabras y escribe a qué profesión corresponde.

1. peine, tijeras, espejo _____

2. cheques, cuentas, dinero _____

3. tractor, animales, granja _____

4. perros y gatos, medicinas _____

5. agua, fuego, edificios _____

6. edificios, lápices, matemáticas _____

ACTIVIDAD 2 ¿Qué harás?

Escribe qué empleo crees que tendrán las siguientes personas en diez años.

1. tú _____

2. tu mejor amigo(a) _____

3. la persona sentada más cerca de ti en la clase de español _____

4. tu madre _____

ACTIVIDAD 3 Llena una solicitud

Llenas una solicitud para un trabajo que te interesa. Usa el vocabulario de esta etapa para describir la información que se pide.

_____
_____
_____
_____
_____
_____
_____
_____

GRAMÁTICA

ACTIVIDAD 1 **Se habla español aquí**

Escoge la forma correcta de la palabra entre paréntesis para completar las oraciones.

1. Se (solicita / solicitan) muchos trabajos aquí.

2. Creo que no se (necesita / necesitan) el número de teléfono.

3. En la oficina se (habla / hablan) español.

4. Se (busca / buscan) puestos en el periódico.

5. No se (vende / venden) vestidos en este almacén.

ACTIVIDAD 2 **No se sabe la respuesta**

Lucas tiene que llenar una solicitud y no sabe cómo hacerlo. Usa las siguientes frases para saber lo que dice: **se tiene, se dice, se explica, se piden, se requieren.**

No puedo llenar la solicitud. _____ que es fácil, pero es difícil. _____

muchos datos personales, pero no _____ por qué. También _____

referencias personales, y _____ que incluir la experiencia profesional.

ACTIVIDAD 3 **¿Cómo está?**

Mira los dibujos y describe a las personas. Sigue el modelo.

modelo: La secretaria está <u>ocupada</u> (ocupar).

1. El muchacho está _____ (sorprender).

2. La madre está _____ (enojar).

3. El músico está _____ (cansar).

GRAMÁTICA B

ACTIVIDAD 1 Las fotos del deportista

Carlos te está mostrando sus fotos. Ayúdalo subrayando la palabra correcta.

En esta foto me (estoy levantando / levantaré) temprano porque tengo mucho que hacer. En la próxima foto, Martín y yo (levantaremos / estamos levantando) pesas. En ésta, el líder del equipo (está hablando / hablaría) con nosotros. En la última foto, (corrí / estoy corriendo) con la pelota, minutos antes de hacer un gol increíble.

ACTIVIDAD 2 El bailarín está cansado

Sigue el modelo para completar las oraciones.

    modelo: La escuela está <u>cerrada</u> (cerrar).

1. El bombero está _____ (cansar).

2. Tú estás _____ (aburrir).

3. La solicitud está _____ (completar).

4. Las deportistas están _____ (capacitar) para jugar hoy.

ACTIVIDAD 3 ¿Qué se hace aquí?

Estás de vacaciones en Ecuador. Escribe cuatro cosas interesantes que se hacen allí y usa expresiones con **se**.

    modelo: <u>En Ecuador se come muy tarde.</u>

1. _____

2. _____

3. _____

4. _____

GRAMÁTICA C

1 Estoy preparado

¿Estás preparado(a) para completar estas oraciones? Sigue el modelo.

modelo: El jefe abrió la puerta. La puerta está <u>abierta</u>.

1. El artista hizo un dibujo. El dibujo está _____.

2. Ellos pusieron la mesa. La mesa está _____.

3. El hombre rompió la máquina. La máquina está _____.

4. El abogado escribió una carta. La carta está _____.

2 ¿Quién está aburrido?

Observa el dibujo y descríbelo. Sigue el modelo.

modelo: Los videos <u>están puestos en el suelo</u>.

1. Los muchachos _____.

2. Las hamburguesas _____.

3. La muchacha de pelo lacio _____.

4. Los ojos de la muchacha de pelo rizado _____.

3 Cuando se viaja...

Escribe sobre algunas costumbres que observaste durante un viaje. Utiliza el **se** impersonal.

modelo: <u>En Michigan, cuando se quiere un refresco, se pide un «pop»...</u>

_____

_____

_____

_____

LECTURA

La mujer de negocios

Agencia de niñeras

✔ 1. Solicitar dos niñeras para una fiesta grande (casa de los Ospina)

2. Hacer una lista de reglas para darles a las niñeras nuevas

3. Pagar la cuenta de electricidad

4. Abrir la oficina el viernes para mi asistente

✔ 5. Poner un anuncio en el periódico para conseguir más niñeras

✔ 6. Emplear a un nuevo secretario

7. Dormir más

¿Comprendiste?

Si la oración es cierta, marca con un círculo la **C.** Si la oración es falsa, marca con un círculo la **F.**

C F **1.** La agencia necesita más niñeras.

C F **2.** La cuenta está pagada.

C F **3.** La mujer de negocios está cansada.

C F **4.** La lista para las niñeras nuevas está hecha.

C F **5.** Buscan un nuevo asistente.

¿Qué piensas?

1. ¿Por qué los Ospina buscan dos niñeras? _____

2. ¿Te gustaría tener tu propio negocio? ¿Por qué? _____

_____

LECTURA B

Los clasificados

CONDUCTORES

FIESTA TAXI

SE SOLICITAN CHOFERES CON O SIN EXPERIENCIA. LE ENSEÑAMOS A SER TAXISTA GRATIS[1].

Puede escoger su horario de trabajo y ganar dinero en efectivo todos los días, $500 o más por semana. Le damos el taxi, mantenimiento[2], seguro[3] y los clientes. Pedimos su récord de manejo del DMV Forma H-6, licencia regular clase C. Entrevistas: lunes a viernes de 8 a.m. a 4 p.m. y sábados de 9 a.m. a 3 p.m.

GERENCIA

Gerente

Compañía líder por más de 30 años en el área de la Educación / Transportes solicita gerente administrativo para su oficina en el condado[4] de Orange.

REQUISITOS[5]:
- Actitud de líder
- Disposición para aprender y enseñar
- Habilidad para comunicarse en inglés y español
- Experiencia en ventas[6] ayuda

OFRECEMOS:
- Proyección empresarial[7]
- Salario y excelente plan de compensaciones
- Trabajo estable

---

[1] free [2] maintenance [3] insurance [4] county [5] requirements [6] sales [7] opportunities for professional growth

¿Comprendiste?

1. ¿Qué puestos se ofrecen? _____

2. ¿Cuál de los puestos requiere inglés y español? _____

3. ¿Es importante que los taxistas tengan experiencia? _____

4. ¿En cuál de los puestos hay que enseñar? _____

¿Qué piensas?

1. ¿Por qué piensas que sería importante poder comunicarse en inglés y español?

_____

2. ¿Cuál de los puestos preferirías? ¿Por qué? _____

LECTURA C

La entrevista

Mucho gusto, señora Peña. Me llamo María Elena Flores. Discúlpeme por llegar tan tarde, pero como le dije por teléfono, el avión se retrasó[1]... ¿Perdón?... Sí, aquí está la solicitud. Sí, soy ecuatoriana... ¿Por qué quiero yo un puesto con esta orquesta? Pues, porque sería un placer dedicarme a la música profesionalmente. Sobre todo, sería un honor poder trabajar con la conductora Sánchez y con un grupo de músicos tan logrados[2]. Empecé lecciones de piano cuando tenía cuatro años, y después estudié el violín por quince años... ¿Perdón? Es el 24 de diciembre de mil novecientos setenta y siete... ¿Quiere que yo toque el violín? Muy bien. Practiqué una obra de Debussy especialmente para esta ocasión. A ver, aquí están las hojas con la música... ¡Oh, no!, ¡traje la partitura[3] de Mahler! Bueno. Tocaré ésta. [Después de tocar...] ¡Qué bueno que le gustó!

[1] was delayed   [2] accomplished   [3] sheet music

¿Comprendiste?

1. ¿Con quién está hablando María Elena? _____

2. Completa la siguiente solicitud para María Elena con la información de arriba.

Nombre: _____

Fecha de nacimiento: _____

Ciudadanía: _____

Puesto solicitado: _____

Datos personales: _____

Firma: _____

¿Qué piensas?

1. ¿Está María Elena preparada para la entrevista? Explica.

_____

2. ¿Piensas que María Elena va a obtener un puesto con la orquesta? ¿Por qué sí o

por qué no? _____

Crucigrama: Empleos y solicitudes

Busca en este crucigrama diez palabras relacionadas con las profesiones. Escríbelas en los espacios apropiados.

Horizontales

1. Diseño edificios de todo tipo. Soy hombre.

3. Escribo cartas y contesto el teléfono. Soy mujer.

5. Soy la persona que le habla al juez. Soy mujer.

7. Ganarse la vida significa recibir un salario.

9. Cuando solicitas empleo, se necesita dar éstos para la solicitud.

Verticales

2. Transporto a la gente de un lugar a otro en carro.

4. Tu nombre y apellido escritos con tu propia mano (plural).

6. Sé cómo reparar muchos tipos de máquinas. Soy hombre.

8. Es lo que hago para ganarme la vida desde hace muchos años.

10. Mi trabajo es escuchar y tomar decisiones legales. Soy mujer.

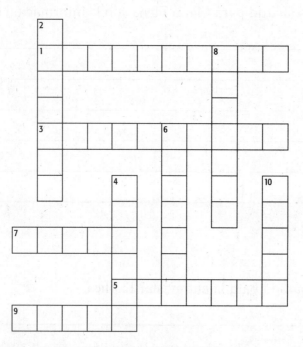

¡En español! Level 2

VOCABULARIO

Melinda tiene una entrevista

Melinda va a tener una entrevista. Subraya las palabras correctas.

Hace dos semanas fui a la oficina de carreras de mi (meta / universidad). La asistente allí me ayudó a preparar un (requisito / currículum). Me dijo que es importante escribir una (meta / entrevista) corta y clara. Mandé mi currículum a la (ventaja / empresa) local que hace juguetes. Se necesita un gerente y creo que tengo la (universidad / habilidad) para hacerlo. En dos días, tengo mi entrevista. Ojalá que le caiga bien al (entrevistador / contrato).

¿Estás de acuerdo?

Buscas trabajo y Simón te da unos consejos. Si lo que dice es cierto, marca con un círculo la **C.** Si lo que dice es falso, marca con un círculo la **F.**

C F **1.** Una educación universitaria es una desventaja.

C F **2.** Si quieres caerle bien al entrevistador, es importante ser puntual.

C F **3.** No tienes que escribir un currículum.

C F **4.** Es una ventaja no tener ninguna experiencia.

Ventajas

Escoge una de las siguientes cosas y explica por qué es importante.

> **modelo:** <u>Las recomendaciones son importantes porque el entrevistador las lee para decidir si la persona tiene las habilidades necesarias.</u>

la educación   las recomendaciones
     el currículum   la puntualidad

_____

_____

_____

_____

VOCABULARIO B

 ACTIVIDAD 1 El empleo

Escoge la palabra que mejor complete cada oración: **capacitación, ventaja, metas, contrato.**

1. Si una persona no tiene experiencia, muchas veces requiere _____.

2. Es una _____ saber los requisitos del puesto antes de la entrevista.

3. Una de las _____ de la persona que quiere empleo debe ser tener una buena entrevista.

4. Cuando alguien te ofrece un puesto, no está finalizado sin un _____.

 ACTIVIDAD 2 La entrevistadora

La entrevistadora de Trisha está muy impresionada con sus habilidades y quiere que ella acepte un puesto inmediatamente. Completa cada oración con una palabra del vocabulario de esta etapa.

Me caíste muy bien, y las _____ de tus maestros y otros profesionales son

increíbles. He tomado una decisión: Tienes las _____ que requerimos y

queremos ofrecerte el puesto. Si dices sí, podemos firmar el _____ hoy. Vas a

ver que tenemos un paquete de _____ que incluye seguro médico y dental

muy bueno. También puedes empezar a un _____ bastante alto por toda tu

experiencia.

ACTIVIDAD 3 Los preparativos

Tu amigo tiene una entrevista la próxima semana. Escribe tres sugerencias para ayudarlo a prepararse.

modelo: 1) Prepara un reporte sobre la empresa y tráelo contigo.

_____

_____

_____

_____

VOCABULARIO

ACTIVIDAD 1 Pistas

Lee las oraciones y escribe lo que se describe.

1. Esto describe tu educación y tus metas. _____

2. Ahora que tienes el puesto, es importante escuchar bien durante esto para saber más de cómo hacer el trabajo. _____

3. Los beneficios son importantes, especialmente éste, que te ayuda a pagar por las visitas al doctor y a la dentista. _____

4. Antes de firmar esto, tienes que leerlo muy bien para saber más de lo que requiere la empresa. _____

5. Es importante no caerle mal a esta persona si deseas conseguir el puesto. _____

ACTIVIDAD 2 Presidente de la clase

Te están entrevistando para el trabajo de presidente de tu clase. Contesta lo siguiente.

1. Describe tu educación. _____
_____

2. ¿Qué dicen tus recomendaciones? _____
_____

3. Si ganas la elección, ¿cuáles serán tus metas? _____
_____

4. ¿Cuáles son algunas ventajas de votar por ti? _____
_____

ACTIVIDAD 3 Tu propia empresa

Tienes tu propio negocio y necesitas un asistente. Escribe un anuncio clasificado que incluya los requisitos del trabajo, información sobre tu compañía y los beneficios que ofrece.

_____
_____
_____

GRAMÁTICA A

ACTIVIDAD 1 La decisión de Pilar

Pilar ha tomado una decisión importante. Subraya la forma correcta de **haber.**

Yo (ha / he) decidido ir a la Universidad de Guayaquil. Mi amigo allí me (has / ha) hablado de las buenas clases que él (ha / he) tomado. Sus amigos también dicen que (hemos / han) recibido una buena educación. Dicen que los profesores son difíciles, pero los (he / han) ayudado mucho y son expertos en sus áreas. Mis padres y yo (han / hemos) discutido mi decisión y ellos están muy felices.

ACTIVIDAD 2 El nuevo trabajo

Martín está buscando trabajo. Lee su historia y completa los espacios en blanco con los siguientes verbos.

> han abierto   ha visto   ha escrito   ha dicho

A Martín no le gusta su trabajo de mecánico y le _____ a su mamá que quiere buscar otro mejor. Su mamá le ha dicho que _____ en el periódico que se _____ puestos para la nueva tienda de ropa que se abrirá en el vecindario el próximo marzo. Martín _____ su currículum. Mañana se levantará temprano e irá a la tienda para pedir trabajo.

ACTIVIDAD 3 ¿Qué han hecho?

Mira los dibujos y escribe lo que ha hecho la gente.

modelo: llegar
El hombre ha llegado a su fiesta sorpresa.

1.

escribir

2.

poner

3.

romper

_____   _____   _____

_____   _____   _____

GRAMÁTICA

....

 1 Completa las oraciones

Traza una línea para conectar la primera parte de la oración con la segunda.

1. Los gerentes dicen que

2. Mi hermano sabe que yo

3. Para mi aniversario de bodas, mis amigos

4. Porque quieres trabajar en un hospital,

has escrito para pedir una solicitud.

han abierto otra tienda de ropa.

he puesto la mesa.

han preparado una torta deliciosa.

2 ¿Qué ha pasado?

Observa el dibujo y describe las acciones que han ocurrido. Sigue el modelo.

modelo: (cerrar)   El hombre ha cerrado las ventanas.

1. (abrir) _____

2. (poner) _____

3. (romper) _____

4. (volver) _____

3 ¿Qué has hecho hoy?

Escribe cinco cosas que las siguientes personas ya hayan hecho hoy.

modelo: yo   He estudiado para un examen de matemáticas.

1. tú _____

2. tus compañeros de clase _____

3. el (la) director(a) de la escuela _____

4. tu mejor amigo(a) _____

GRAMÁTICA C

ACTIVIDAD 1 ¡Ya lo he hecho!

Tu madre quiere que hagas varias cosas. Dile que ya has hecho todo.

Mamá: Tienes que limpiar tu cuarto ahora.

Tú: Ya lo _____, mamá.

Mamá: Bueno, entonces vete a la oficina de tu amiga y pide una solicitud de trabajo.

Tú: Ya la _____, mamá.

Mamá: Pues, habla con tus profesores para conseguir las recomendaciones.

Tú: Ya las _____.

Mamá: Entonces, ¿por qué no preparas la cena de esta noche?

Tú: Ya la _____, mamá: Como ves, soy la hija perfecta.

ACTIVIDAD 2 ¿Has dicho la verdad?

Contesta las preguntas.

1. ¿Alguna vez has preparado una cena para alguien? _____

2. ¿Has estado en Ecuador? _____

3. ¿Hemos hablado por teléfono alguna vez? _____

4. ¿Alguna vez han visto ustedes a una persona famosa? _____

5. ¿Su escuela ha recibido un premio? _____

ACTIVIDAD 3 Los pasos que he seguido

Escribe sobre los pasos que tú o alguien que conozcas ha seguido para obtener un buen trabajo.

modelo: 1) Le he escrito una carta al presidente de una compañía internacional.

_____

_____

_____

LECTURA **A**

CARMELA OSPINA

Carrera Séptima #123
Bogotá, Colombia
e-mail: ospina@ioan.net

Objetivo: Usar mis habilidades con computadoras para
desarrollar sitios web para una empresa

Experiencia
Gerente de Café Cali
Dueña de la tienda Computadoras y Más
Técnico por contrato para sitios web

Educación
Bachillerato, Universidad de los Andes

Recomendaciones
Oscar Ortiz, jefe, Café Cali
Ramón Castillo, profesor de computación de la
Universidad de los Andes

¿Comprendiste?

1. ¿Qué se muestra aquí y de quién es? _____

2. ¿Cuál es el objetivo de Carmela? _____

3. ¿A qué universidad asistió Carmela? _____

4. ¿Quién ha recomendado a Carmela? _____

5. ¿De qué empresa ha sido gerente Carmela? _____

¿Qué piensas?

1. ¿Qué habilidades tiene Carmela? _____

2. ¿Qué escribirías como tus objetivos en un currículum? _____

_____

LECTURA B

....

CARRERAS CARRERAS CARRERAS CARRERAS CARRERAS

EL CENTRO DE CARRERAS DE LA UNIVERSIDAD DE GUAYAQUIL

Te invita
a un día de información para estudiantes en su último año de estudios.

Este evento es para ti si
- has tenido el deseo de mejorar tu currículum.
- les has escrito a muchas compañías y nadie ha respondido.
- has querido más información sobre cómo caerle bien al entrevistador.
- has esperado establecer contacto con una variedad de empresas.

Ven al Centro de Carreras para obtener:
Información... Ayuda... La oportunidad de hablar con representantes de empresas.

Cuándo: el 10 de abril, entre 2 p.m. y 4 p.m.
Dónde: El Centro de Carreras

¿Comprendiste?

Escoge **C** si la oración es cierta o **F** si es falsa.

C F **1.** El evento será en la cafetería de la universidad.

C F **2.** El evento es para el estudiante que ya tiene empleo.

C F **3.** El evento es para estudiantes que no han terminado su educación.

C F **4.** Algunas empresas van a estar en el evento.

C F **5.** Es un evento que ayuda al estudiante que quiere saber cómo tener éxito en una entrevista.

¿Qué piensas?

1. ¿Piensas que es posible aprender cómo caerle bien a alguien? ¿Por qué? _____

_____

2. ¿Piensas que un evento de este tipo es útil? Explica. _____

_____

LECTURA C

Conversando en el Café Net

Héctor: Hola, Blanca. Llegas tarde. He estado aquí por media hora. Mira, ya he tomado dos cafés.

Blanca: Lo siento, Héctor. Estoy muy preocupada. En dos horas tengo una entrevista para trabajar con una empresa de computadoras.

Héctor: ¿De veras? Háblame del puesto.

Blanca: Es un puesto bueno, con sueldo alto, seguro y muchos días de vacaciones. Si lo consigo, tendré que enseñar cómo usar el producto.

Héctor: ¿Y sabes cómo?

Blanca: Ése es el problema. No sé nada del producto que se desarrolla allí.

Héctor: Pues, toma un café, y después usamos la computadora aquí para navegar por Internet a ver qué información podemos conseguir. (*más tarde*)

Blanca: (*mirando la computadora*) Héctor, es increíble. He visto una lista de los requisitos específicos para el puesto. ¡Creo que estoy capacitada!

Héctor: Es una ventaja tener acceso a Internet. Pero, Blanca, ¿has visto la hora?

¿Comprendiste?

1. ¿En qué tipo de café están Héctor y Blanca? _____

2. ¿Por qué está preocupada Blanca? _____

3. ¿Qué tipo de entrevista va a tener ella? _____

4. Si consigue el trabajo, ¿qué tendrá que hacer? _____

5. ¿Qué problema tiene Blanca? ¿Cómo lo resuelve? _____

¿Qué piensas?

1. ¿Alguna vez has encontrado información de un puesto en Internet? _____

_____

2. ¿Cuáles son las ventajas y las desventajas de usar Internet de esa manera? _____

_____

La entrevista de Blanca

Héctor y Hugo están observando en secreto la entrevista de Blanca. Escoge la forma correcta de los verbos entre paréntesis para descubrir lo que dice Héctor. Después busca estas palabras en la sopa de letras.

Mira, Hugo, la entrevistadora ha _____ (abrir) la puerta. Blanca ha _____ (decir) «Buenos días» pero creo que la entrevistadora no le ha respondido. Blanca se ha _____ (sentar) en la silla y ha _____ (poner) su currículum en la mesa. Creo que la entrevistadora lo ha _____ (ver) y ahora parece que está preguntando algo.

(diez minutos más tarde)

Ay no, la entrevistadora salió de la oficina… Está bien, ha _____ (volver). Escucha, Hugo. He _____ (oír) algo. ¡Creo que Blanca ha _____ (conseguir) el puesto! ¿Sabes algo más? Ellas nos han descubierto. ¡Corramos! ¡Rápido!

V	T	L	T	B	S	R	A	T	O	R	I	O	M	E
H	I	G	E	N	V	C	N	H	A	L	H	R	F	O
U	M	S	R	P	R	O	C	E	D	C	O	E	T	R
E	I	H	T	J	N	N	A	Q	I	L	H	L	R	B
O	K	D	E	O	D	S	I	D	U	L	E	U	R	A
Í	A	O	A	E	M	E	D	I	N	U	E	S	P	N
P	D	B	B	R	E	G	P	E	V	E	R	É	R	Q
U	T	D	I	P	S	U	O	N	D	Y	C	F	L	U
E	N	T	E	R	P	I	E	L	E	O	Í	D	O	E
S	E	N	R	T	O	D	I	O	U	E	O	C	E	R
T	U	P	T	U	Ñ	O	L	H	Á	M	P	O	V	O
O	A	N	O	D	E	R	Í	S	E	N	T	A	D	O

¡En español! Level 2

VOCABULARIO

 Una conversación por teléfono

Celia le está diciendo a su mejor amiga lo que tiene que hacer antes de salir de la casa. Subraya la palabra que mejor complete cada oración.

(Adiós / Hola) Linda, ¿qué tal? Te llamo para decirte que puedo ir a la fiesta, pero tengo que hacer mis (pisos / quehaceres) primero. Y después de hacerlos, quiero hacer ejercicios (concurso / aeróbicos). Luego, tengo que (acostarme / ducharme) antes de vestirme para la fiesta. ¿A qué hora empieza? ¿A las dos? ¿En dos horas? Entonces, es mejor que te (vayas / bailes) sola.

2 ¿Cierto o falso?

Lee sobre las actividades de las siguientes personas e indica si la oración es **C** (cierta) o **F** (falsa).

C F **1.** El maletero lleva las bolsas y maletas de los huéspedes a las habitaciones.

C F **2.** El fotógrafo escribe artículos para periódicos.

C F **3.** El pasajero conduce el taxi.

C F **4.** Los atletas practican muchos deportes.

C F **5.** El abuelo se divierte con sus nietos.

3 Lugares

Escribe una lista de las cosas que comúnmente se encuentran en los siguientes lugares.

1. En los aeropuertos siempre hay _____.

2. En un restaurante siempre hay _____.

3. En la playa veo _____.

4. Cuando voy al supermercado no olvido comprar _____.

VOCABULARIO B

1 Cuando era niño

Completa las siguientes oraciones con la palabra correcta.

| pescadora | peluquero | enfermera | artista |

1. Cuando era niño, el _____ dibujaba mucho.

2. Cuando era niña, la _____ pescaba con su papá.

3. Cuando era niño, el _____ les cortaba el pelo a todos sus amigos.

4. Cuando era niña, la _____ cuidaba mucho a su abuela.

2 En la selva

Mira el siguiente dibujo y escribe el nombre de cada uno de los animales.

1. _____

2. _____

3. _____

4. _____

3 ¿Qué harías?

Lee las siguientes situaciones y escribe lo que harías para resolverlas.

1. Tienes mucha tos y te duele mucho la cabeza. _____

_____

2. Descubres que alguien te ha robado tu computadora nueva. _____

_____

3. Vas a una entrevista en una ciudad que no conoces y te pierdes. _____

_____

4. El pronóstico dice que habrá mucha neblina mañana y quieres escalar una

montaña. _____

VOCABULARIO C

···

ACTIVIDAD 1 El día de la entrevista

David tiene una entrevista hoy. Mira los dibujos y describe lo que él está haciendo en este momento.

1.  2.  3.  4.

_____   _____   _____   _____

ACTIVIDAD 2 ¿Qué tiempo hace?

Describe el tiempo de acuerdo a los comentarios que hacen las personas.

1. Me puse el gorro de lana y la bufanda antes de salir para no resfriarme. _____
   _____

2. Me pondré esas sandalias para ir a la playa. _____

3. Lleva abrigo esta noche, pero creo que no necesitas gorro y guantes de lana.
   _____

4. No es lógico salir de casa sin paraguas. _____

ACTIVIDAD 3 El lugar especial

Describe un lugar que te guste mucho y explica cómo llegas allí.

modelo: Me gusta caminar a la biblioteca que está a tres cuadras de mi casa.
         Camino una cuadra hacia el norte y dos cuadras hacia el este...

_____

_____

_____

**Unidad 6
Etapa 3**

Actividades para todos
VOCABULARIO

C

GRAMÁTICA

ACTIVIDAD 1 Iremos al museo

Pat piensa ir a Quito. Subraya el verbo correcto.

En dos semanas (viajaré / viajaba) a Quito a ver la exposición de mi mejor amigo, Santiago. Él (mostraré / mostrará) sus enormes y raras esculturas en una galería moderna. Nosotros (dormirán / dormiremos) en un hotel lujoso que está cerca de la galería. Santiago me dice que (encontré / encontraremos) muchos restaurantes muy buenos cerca, y que (comeremos / comen) en uno de ellos después de la exposición.

ACTIVIDAD 2 Las vacaciones

Carlos le cuenta a su amigo Miguel sobre las actividades que realizó en sus vacaciones en México. Miguel dice que hará lo mismo.

> **modelo:** Caminé por la ciudad un día. <u>Caminaré por la ciudad un día.</u>

1. Comimos en un restaurante muy elegante. _____

2. Visité algunos museos y parques en las afueras de la Ciudad de México. _____

_____

3. Fuimos a un concierto de música folklórica. _____

4. Conocí gente maravillosa. _____

ACTIVIDAD 3 Dijo que...

Escribe cuatro cosas que alguien te dijo.

> **modelo:** <u>Mis padres me dijeron que las vacaciones estuvieron muy bien.</u>

_____

_____

_____

_____

_____

GRAMÁTICA B

1 Julia dice que...

Lee lo que Julia dice o dijo. Luego usa **estuvo, estaba, estará** o **estaría** para completar las oraciones en que Tomás repite lo que dice Julia.

Julia: Estaré en la escuela en cinco minutos.

Tomás: Julia dice que _____ en la escuela en cinco minutos.

Julia: El paseo de la escuela estuvo horrible.

Tomás: Julia dijo que el paseo _____ horrible.

Julia: Mi casa está muy lejos de la escuela.

Tomás: Julia dijo que su casa _____ muy lejos de la escuela.

Julia: Estaré muy cansada después de estudiar.

Tomás: Julia dijo que _____ muy cansada después de estudiar.

2 El piloto dijo que...

Estás en un avión con tu hermano. Hay mucha conversación y él no oye bien. Llena los espacios en blanco con los verbos apropiados para repetirle lo que dice el piloto.

1. **Piloto:** Saldremos en cinco minutos. **Tú:** Dijo que _____ en cinco minutos.

2. **Piloto:** Ustedes tendrán que regresar a sus asientos ahora. **Tú:** Dijo que nosotros

   _____ que regresar a nuestros asientos.

3. **Piloto:** Estaremos en Quito en una hora y media. **Tú:** Dijo que _____ en Quito en una hora y media.

4. **Piloto:** Lo siento, pero tenemos un problema mecánico. **Tú:** Dijo que

   _____ un problema mecánico.

3 ¿Qué dijo?

Escribe lo que te dijo Morgan por teléfono ayer.

   modelo: Tengo boletos. <u>Dijo que tenía boletos.</u>

1. Iré a hacer ejercicio. _____

2. Fui al museo. _____

3. Vendré a las siete. _____

4. Estoy en el centro comercial. _____

¡En español! Level 2

GRAMÁTICA

 **Los mensajes**

Margarita habla con su hermana sobre lo que dijeron varias personas. ¿Qué dice?

> **modelo:** los gemelos: ellos / ir al programa de baile conmigo
> <u>Los gemelos dijeron que ellos irían al programa de baile conmigo.</u>

1. Fernando: nosotros / comer en un restaurante cubano el jueves

_____

2. Isabel: ella / comprar un regalo para mi cumpleaños

_____

3. mamá: tú / visitarnos durante los días festivos

_____

4. mis amigas: yo / tener que explicarles la tarea

_____

ACTIVIDAD 2 ¿Qué dijeron ellos?

Di la última cosa que las siguientes personas te dijeron.

1. tu mejor amigo(a) _____

2. tu maestro(a) de español _____

3. tu hermano o padre _____

4. alguien en la cafetería _____

ACTIVIDAD 3 ¿Qué dijo el noticiero?

Escribe un párrafo corto sobre lo que se habló en un programa informativo que hayas visto.

> **modelo:** <u>El reportero dijo que haría mucho sol mañana. Dijo también que el</u>
> <u>tiempo estaría bueno para jugar al tenis…</u>

_____

_____

_____

Unidad 6, Etapa 3 **Actividades para todos** GRAMÁTICA C

¡En español! Level 2

Unidad 6 Etapa 3 — **Actividades para todos** GRAMÁTICA — **C**

LECTURA

> ¡Hay nubes por todas partes y en poco tiempo va a llover a cántaros¹!
> Caerá un fuerte aguacero esta noche, y mañana lloverá todo el día.
> Hará frío también. Mañana hay una posibilidad de nieve por la tarde.
> Si no tienen que trabajar, ¡quédense en casa y tómense un chocolate!
> Y ahora, los deportes con Marcos...

¹ to rain cats and dogs

¿Comprendiste?

1. ¿Qué hace el hombre en la televisión? _____

2. ¿Dijo que iba a hacer sol en poco tiempo? _____

3. ¿Dijo que llovería esta noche? _____

4. ¿Dijo que haría calor mañana? _____

5. ¿Por qué dice que es mejor quedarse en casa? _____

¿Qué piensas?

1. ¿Crees en los pronósticos del tiempo de los noticieros? ¿Por qué? _____

_____

2. ¿Qué haces cuando hay un aguacero? Explica cómo te afecta el tiempo.

_____

¡En español! Level 2

LECTURA

31 de diciembre

Estimado Sr. Rodríguez:

Gracias por darme la oportunidad de entrevistarme con ustedes. Mi profesor dice que su revista es la mejor en el área de la cultura popular. Ojalá que tenga la oportunidad de mostrarle mis habilidades como crítica[1].

Me dijo que tomaría una decisión antes del año nuevo. Por esta razón, he incluido otra copia de mi currículum y más copias de las críticas que escribí para la revista *Televidentes*. Pienso que mi estilo es muy similar al de los escritores de su revista.

Le deseo un buen año nuevo.

Muy atentamente,

Tara López

[1] critic

¿Comprendiste?

1. ¿Quién es el señor Rodríguez? _____

2. El profesor le dijo a Tara que _____.

3. ¿Cuándo dijo el señor Rodríguez que tomaría una decisión? _____

4. ¿Qué tipo de puesto quiere Tara? _____

5. ¿Qué incluyó Tara con la carta? _____

¿Qué piensas?

1. ¿Por qué piensas que Tara escribió esta carta el 31 de diciembre? _____

_____

2. ¿Qué tipos de críticas piensas que escribió Tara para la otra revista?

_____

Unidad 6
Etapa 3

Actividades para todos
LECTURA

B

LECTURA C

El condorito

[1] stage   [2] stains

¿Comprendiste?

1. ¿Adónde van Pepe y sus amigos? _____

2. ¿Qué dijo Pepe que hizo en el escenario? _____

3. Si Pepe tiene cuarenta años, ¿cuántos años tenía cuando debutó como actor?

_____

4. ¿Qué dijo Condorito que veía? _____

¿Qué piensas?

1. ¿Qué piensa Condorito de las habilidades de Pepe como actor? ¿Por qué? _____

_____

2. ¿Piensas que es una tira cómica divertida? ¿Por qué? _____

_____

Los verbos maravillosos

Escribe la forma correcta de los verbos entre paréntesis para completar las siguientes oraciones. Luego usa las letras rodeadas con círculos para descubrir el mensaje secreto.

1. Dice que él ◯ ____ ____ ____ ____ (hablar) español muy bien.

2. Ella ____ ◯ (ir) a viajar a Miami hoy.

3. Cuando eras niño, ____ ____ ____ ◯ (leer) mucho.

4. Hace dos semanas que yo ____ ____ ◯ ____ ____ (estar) en Puerto Rico. Fue increíble.

5. Hermano, ¡ ____ ____ ____ ____ ◯ ____ ____ (levantarse) ahora!

6. Quiero que mis amigos no me ____ ◯ ____ ____ ____ (molestar).

7. Dudan que Arón ____ ◯ ____ ____ (poder) ir a la fiesta.

8. En tres meses yo ◯ ____ ____ ____ ____ (estar) en Ecuador.

9. Si no estuviera tan cansado, ____ ____ ◯ ____ ____ ____ (jugar) al tenis contigo.

10. Nunca he ____ ____ ____ ____ ◯ (recibir) una carta de mi nieta.

Mensaje secreto

____ ____ ____ ____ ____ ____ ____ ____ ____ ____
1   2   3   4   5   6   7   8   9   10

NOTES

NOTES

Notes

NOTES

NOTES

NOTES